W9-CKF-785

ЛИЧНОСТИ

ЛЕВ КОЛОДНЫЙ

ДЖУНА

ТАЙНА ВЕЛИКОЙ ЦЕЛИТЕЛЬНИЦЫ

Москва
алгоритм
2015

УДК 82-311.8
ББК 83.3
К 61

Колодный Л.Е.

К 61 Джуна. Тайна великой целительницы / Л.Е. Колодный. – М.: ООО «ТД Алгоритм», 2015 – 256 с. – (Личности).

ISBN 978-5-906798-49-7

Евгения Давиташвили, более известная как Джуна — человек-легенда. Легенда, созданная во многом стараниями самой Евгении, которая родилась в семье иммигранта из Ирана в глухой краснодарской деревне и чудесным способом пробилась в Москву. Девочка из большой семьи, в 13 лет начавшая трудовую деятельность в кубанском колхозе, в какой-то момент открыла в себе паранормальные способности к целительству… Она видела будущее и безошибочно определяла заболевание, — по этой причине к ней обращались многие известные политики (генсек Л.И. Брежнев, члены Политбюро, Президент России Б. Ельцин), творцы (А. Райкин, Р. Рождественский, А. Тарковский, И. Глазунов) и рядовые граждане. К ясновидящей приезжали со всего мира.

Вокруг великой Джуны переплетаются мистика, реальность и загадочные пересуды, разобраться в которых пытается ее близкий друг, автор книги Лев Колодный, представивший для этого издания уникальные фото из личного архива!

УДК 82-311.8
ББК 83.3

ISBN 978-5-906798-49-7

ПРЕДИСЛОВИЕ

Эта книга посвящена Евгении Давиташвили, прославившейся в XX веке под псевдонимом Джуна. Она побудила физиков заняться изучением ее необыкновенной способности диагностировать и лечить. Это признал в 1990 году вице-президент Академии наук СССР Евгений Велихов, который, по его словам, «руку приложил, чтобы организовать изучение «эффекта Джуны» в серьезных научных лабораториях. Это сделали по требованию покойного генсека Брежнева».

Другое откровение относительно Леонида Ильича прозвучало в словах директора ИРЭ — Института радиотехники и электроники имени В. А. Котельникова Российской академии наук академика Юрия Гуляева:

«Вызывает меня и Велихова Гурий Иванович Марчук. Он в то время был председателем Комитета по науке и технике и зампредом Совета Министров.

Говорит нам, что у него состоялся разговор с **Брежневым**. Тот попросил разобраться с Джуной: лечит она Генсека или калечит.

Приглашает нас Кириленко (секретарь ЦК КПСС, давний соратник Леонида Ильича. — *Л. К.*), которому Брежнев очень доверял. Он спрашивает: Что нужно?

Женя Велихов хорошо знал ситуацию в ЦК, а потому сразу же сказал: нужно по миллиону долларов и по десять миллионов рублей. Что удивительно, деньги нам сразу же дали. И мы начали этой проблемой заниматься очень серьёзно».

Такую информацию руководители советской науки много лет держали под спудом, я узнал о ней, когда о многом засекреченном стало возможно говорить и писать. Одной из тайн являлось в 80-е годы изучение «эффекта Джуны». Оно началось в созданной благодаря ее неустанным усилиям лаборатории ИРЭ. В штат без огласки Евгению Ивашевну Давиташвили зачислили старшим научным сотрудником без защиты диссертации с окладом 180 рублей в месяц.

Чем занимались физики, что открыли, тайно изучая в 1981-1985 годах в Институте радиотехники и электроники феномен «Д», как для краткости руководитель секретной лаборатории Эдуард Годик окрестил в отчете, правительству, читатель узнает в этой книге. А также о том, что они не смогли выяснить. Я отвечу на вопросы, не дающие покоя телеканалам — лечила ли Джуна Брежнева, кто в высших эшелонах власти ее протежировал, помогал в борьбе за истину, кого лечила она, с кем из великих современников встречалась и дружила, став центром протяжения многих фигур XX века?

Книгу назвал «Джуна», потому что, не появись эта прекрасная женщина в Москве, физики не смогли бы сделать открытий, которые, на мой взгляд, по достоинству не оценены современниками. Расскажу о муках, которые пришлось испытать ей, чтобы доказать свою правоту, и мне, чтобы воздать ей должное и помочь лаборатории утвердиться в Москве.

Трагический распад Советского Союза привел к печальному концу лаборатории. Ее бывшие сотрудники служат в Калифорнии, Кремниевой долине США. Там,

за океаном в 1993 году оказался и шеф лаборатории доктор физико-математических наук Эдуард Годик. В 2010 году у него в Москве вышла книга «Загадка экстрасенсов: что увидели физики», посвященная сотрудникам, с которыми он изучал человека в «собственном свете». Презентация книги прошла в ФИАНЕ, Физическом институте Российской академии наук, где полвека назад физики не решились испытать загадочный телекинез Ни-

Евгения Давиташвили, прославившаяся в XX веке под псевдонимом Джуна

нель Кулагиной — «феномен «К»», также изученный в лаборатории ИРЭ АН СССР.

Никто из постаревших физиков не жалеет сегодня, что без оглядки в молодости занимался тем, что многие на закате советской власти считали прихотью старцев Кремля, желавших омолодиться. Чем дальше уходит время, тем сильнее крепнет убеждение: годы работы в лаборатории в Старосадском переулке, 8 были самыми счастливыми.

Как признался сделавший успешную карьеру в США физик Александр Тараторин, «в глубине души надеюсь, что наука когда-нибудь вернется к исследованиям, подобным тем, которые были начаты в Москве в 1982 году».

Первый раз моя книга «Феномен «Д» и другие» опубликована в СССР издательством Политической литературы в 1991 году тиражом 200 000 экземпляров. С тех пор малыми тиражами она печаталась в Москве дважды — под названиями «Феномен Джуны» и «Феномены». Ныне она дополнена неизвестными фотографиями и текстом, где нашлось место событиям последних лет жизни Джуны.

ГЛАВА ПЕРВАЯ,

где рассказывается, как и почему появилась в Москве Джуна: о стихах героини, первых опытах в московских поликлиниках, отзывах врачей. Я процитирую свою первую статью о Джуне в «Комсомольской правде», вызвавшую бурную реакцию АН СССР и АМН СССР, сообщу о поддержке Аркадия Райкина — телефонном разговоре артиста с Л.И. Брежневым, сыгравшим ключевую роль в ее судьбе, и многих других эпизодах и событиях, закончившихся тем, что в Москве двумя постоянными жителями стало больше, хотя многие тому препятствовали...

Без умолку безумная девица
Кричала: «Ясно вижу Трою, впавшей в прах!»
Но ясновидцев, впрочем, как и очевидцев,
Всегда сжигали на кострах...

В. Высоцкий

С Джуной я познакомился, когда о ней сочиняли стихи. По ее словам, начало этому положил поэт Александр Межиров, еще в ее бытность в Тбилиси. Там она жила много лет, вышла замуж за сотрудника администрации главы Грузии Эдуарда Шеварднадзе, растила сына. Там прославилась своими чудными руками, вернула здоровье многим гражданам цветущей республики. Ее знали влиятельные люди в Тбилиси, артисты, художники, поэты.

С ней встречался фантаст Иван Ефремов. Никуда уезжать она собиралась. В судьбу вмешался случай.

Когда у главы Госплана СССР и заместителя председателя правительства СССР заболела жена, врачи пять лет не могли ей помочь. Узнав об этом, председатель Совета министров Грузинской ССР посоветовал уважаемому Николаю Константиновичу Байбакову полечить супругу у Джуны. За ней в Тбилиси в апреле 1980 года полетел его сын Сергей, и она появилась в Москве с Вахтангом, пятилетним сыном. Гостью поселили в гостинице «Москва», куда просто так, с улицы не мог попасть никто, даже с большими деньгами.

«Через пару дней я пригласил ее к себе домой, — пишет в мемуарах «Сорок лет в правительстве» Байбаков. — С этого дня началось лечение Клавдии Андреевны, и, надо сказать, она после первых сеансов стало чувствовать себя значительно лучше, хотя вылечить полностью так и не удалось».

Своей властью председатель Госплана зачислил Джуну экспертом в ведомственную поликлинику, где она лечила больных и подружившихся с ней врачей.

Никто в прессе Москвы о ней ничего тогда не писал, советским журналистам было непонятно, как могла женщина с ребенком поселиться в престижной гостинице, никто не знал, куда она ехала в присланной за ней машиной с номерами правительственного гаража... Первыми сообщили о странном постояльце гостиницы «Москва» иностранные корреспонденты. Свободные от цензуры журналисты писали все: они распространили слух, что Джуна прибыла в Москву лечить недомогавшего Брежнева.

Особенно преуспел в выдумках некий американский журналист Генри Гри. Он сообщил, что ему первому разрешили взять интервью у Джуны и предупредили, чтобы не спрашивал, лечит ли она Брежнева и Косыгина. Далее он сочинил, что зовут ее для конспирации «товарищ Д», занимает она с сыном номер «люкс», ходит в сопровождении шести охранников, владеет двумя домами в Москве и Тбилиси. Берет за один сеанс 250 рублей...

Из гостиницы Джуна с сыном переехала в квартиру родственников Байбакова, уехавших летом на дачу. К ней отовсюду потянулись страждущие. Адрес квартиры стал известен московским писателям и артистам, передававшим кудесницу как эстафету из рук в руки. К Джуне зачастил классик советской литературы Леонид Леонов. Иосиф Кобзон пришел с другом Владимиром Высоцким. На кухне я застал Роберта Рождественского с дочкой Катей...

Руки Джуны стали воспевать самые известные поэты: Андрей Вознесенский, Евгений Евтушенко, Андрей Дементьев... Я услышал, какими словами говорила о ней Белла Ахмадулина. Портрет Джуны выставил в Манеже Илья Глазунов...

За что такая честь? Об этом хочу рассказать прозой и процитировать стихи, чужие и свои:

Нет, я не трепетная лань,
Меня догнать не так-то просто!
Довольно протянуть мне длань
И я уже за тем за мостом.
Могу взойти на Млечный путь,
На тот, что людям не подвластен
И в тайны мира заглянуть,
И рассказать, как он прекрасен.
Могу спуститься в адов ад
И сердце твердым быть заставить,
Из хаоса исторгнуть лад,
И силу рук людских прославить.
Могу заколдовать весь мир,
Чтоб вместо грома грянул — пир!
Угнаться вам за мной непросто:
Нет, я не ведьма, не колдун!
Я Джуна, а не Калиостро!

Надеюсь, читатель не подумает, что моя героиня умеет вытворять чудеса, здесь продекларированные. Все это поэтические вольности, но вот что она «силу рук людских восславила» — факт доказанный.

Человечеству давно известна труднообъяснимая способность некоторых людей узнавать без помощи радио, телефона, любых технических средств связи, что происходит с родными и близкими, находящимися за сотни километров, чувствовать и находить в толще недр воду и полезные ископаемые, передвигать, не касаясь руками, предметы, более того, даже поднимать их в воздух... Наконец, встречаются люди, не имеющие никакого медицинского образования, вообще необразованные, диагностирующие и исцеляющие болезни, воздействуя на недуг руками, которые как бы играют роль локаторов и источников благотворной энергии.

В этой книге в основном пойдет речь о феномене Джуны, поскольку с ее именем и бурной деятельностью, происходившей на моих глазах, связан один из кульминационных эпизодов борьбы, приведшей к официальному признанию феноменов, прежде считавшихся «чудесами парапсихологии».

Описываемые события охватывают в основном период 1980-1985 годов, когда в СССР возникла первая государственная академическая лаборатория, приступившая к исследованию «физических полей биологических объектов». Эта лаборатория совершила, на мой взгляд, главное открытие: феномены достойны внимания науки.

* * *

Джуна в Москве попала в странную ситуацию. С одной стороны, ей без огласки покровительствовали сильные мира сего, о чем никто не знал. С другой стороны, ученых, которые ее изучали, подвергали нападкам, а дар Джуны низводили к внушению.

«Пусть целители путем внушения вылечивают расстройства, не требующие хирургического вмешательства, — с трибуны объединенной сессии членов Академии наук СССР и Академии медицинских наук СССР говорил

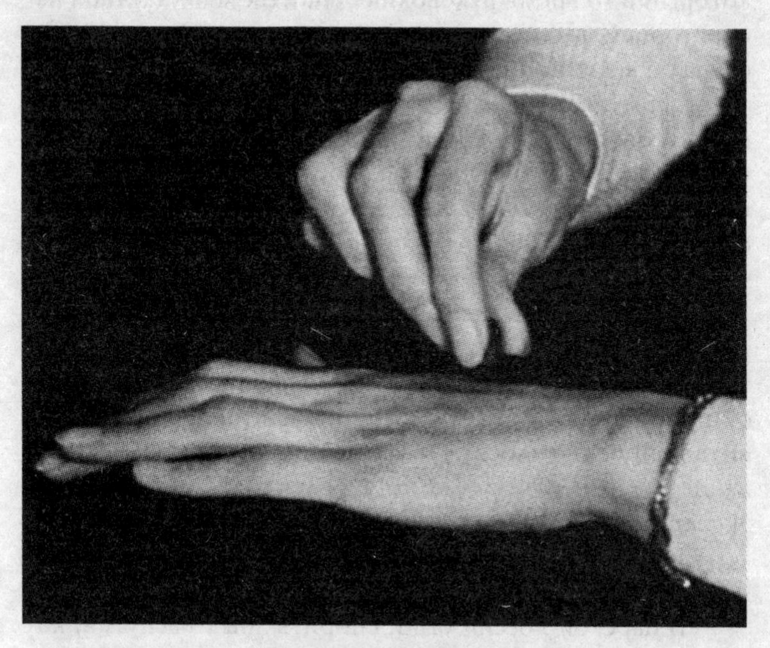

Целительные руки Джуны

академик Я. Б. Зельдович, имея в виду Джуну, — но пусть ученые, особенно члены Академии наук, не поддаются гипнозу даже со стороны целителей».

Тогда известный физик, трижды Герой Социалистического труда, подверг резкой критике члена-корреспондента АН СССР, известного философа Александра Спиркина, который в то время руководил общественной научной лабораторией, где исследовались феномены. Он также выступал с лекциями и статьями.

То был первый случай, когда член «большой академии», советский философ, представитель официальной науки признал публично реальность феноменов или, как их стали называть, «экстрасенсов», которые считались фокусниками и шарлатанами, не признавались академической наукой.

Позиция Спиркина вызвала резкое осуждение многих членов АН СССР. От их имени академик Зельдович заявил: «Думается, что некорректно члену академии представлять широкой аудитории непроверенные данные, ставить вопрос о философских аспектах явлений, существование и смысл которых не установлены достаточно точно экспериментами».

Еще напомнил оратор высокому научному собранию о давней скандальной истории:

«В царской России были спириты, был Распутин, который заговаривал кровь царевича, но в заседаниях Российской академии они не участвовали...».

Точку над і поставил президент АН СССР Анатолий Александров: «Членам Академии наук непозволительно поддерживать лженаучные направления. Нужно дорожить званием члена Академии и научным доверием, которое ему оказывается».

Итак, лженаука...

Незадолго до объединенной сессии двух академий состоялась сессия Отделения философии и права АН СССР. На ее заседании философ, пораженный способностями

Джуны, пришел с ней, хотел показать, как она «работает». Но этого ему не разрешили.

Более того, руководство Отделением публично указало члену-корреспонденту на «недопустимость подменять серьезное рассмотрение научных вопросов дешевыми сенсациями».

Вскоре появились публикации в авторитетных теоретических журналах, автором которых выступил член-корреспондент АН СССР Ю. А. Жданов, живущий в Ростове. Из его статьи «Мощь и действенность разума» приведу два пространных абзаца, характеризующие стиль и метод критики загадочных явлений:

«Весьма любопытна попытка современного антиразума рядиться в тогу разумности и научности. Живы, ох как живы еще персонажи, представленные нам Толстым в «Плодах просвещения». Правда, решительно выросла мера их наукообразия. Несчастный Гросман у Толстого просто вибрировал, и далеко ему было до современного интуитивного диагностирования, психотроники, психозондирования планет сенситивами. К чудесам телепатии, парапсихологии, телекинеза прибавилось видение с помощью кожи (извините!) — дермооптика или дермовидение (от греческого derma — кожа). Экстрасенсы и гиперсенсы составляют пси-резюме о состоянии уловленных ими душ.

Конечно, если довести себя до чертиков, то увидишь и ауру. В общем, «да здравствует» полусонный, затемненный, гипнотизированный, наркотизированный мозг — только ему доступна истина, только ему открывается сокровенное, подвластно неведомое! Так развилось и усовершенствовалось в космическое время высмеянное еще Энгельсом «естествознание в мире духов». Подлинная наука отвергает все эти благоглупости, но нельзя не считаться с поддержкой, которую оказывают оккультным наукам, лженаучным сенсациям идеологи буржуазного мира. Разум — враг слепой веры, суеверия, фанатизма».

Стоило Спиркину, автору учебника по диалектическому и историческому материализму для высшей школы, взяться за исследование телекинеза, «кожного зрения», целительства, как его тут же предали анафеме, наклеили политические ярлыки, обвинив в потворстве мракобесию, «идеологии буржуазного мира», ссылаясь на Фридриха Энгельса, классика марксизма-ленинизма.

Статьи, подобные той, что процитирована, вызывали в душах ученых страх. Каждого, кто брался за исследование феноменов, любой журналист, лектор общества «Знание» мог назвать идеалистом. А это было в СССР обвинение политическое. Казалось бы, какое имеет значение, что первично, что вторично — мысль, как считают идеалисты, или материя, как доказывают материалисты... Выдающихся русских философов-идеалистов в 1922 году как врагов советской власти выслали из советской России без права возвращения на родину — под угрозой расстрела!

Любой исследователь рисковал упасть в общем мнении, пораженном клеветой. Что и происходило. Достаточно полистать подшивки советских газет, чтобы убедиться в этом... Телекинез опровергался не только «борцами с лженаукой», но и фокусниками, фантастами, юмористами... Чтобы противостоять сложившемуся в СССР общественному мнению, требовалось гражданское мужество. Сама того не ведая, не знающая страха и сомнений Джуна вступила в борьбу с идеологами партии.

У всех в памяти были годы, когда вслед за критикой, подобной той, в которой набил руку Юрий Александрович Жданов, ученые отправлялись в места не столь отдаленные. Объективности ради нужно признать, что сам Ю.А. Жданов в молодости занимал в «дискуссии», предшествовавшей разгрому генетики, позицию, достойную уважения — пока хватало власти, поддерживал истинных ученых. Точно так же в сороковые годы стоял на передовых позициях молодой профессор М. В. Волькенштейн, подвергавшийся нападкам на другой «научной» сессии, посвященной химическим наукам. Прошли десятилетия, и маститый М. В. Волькенштейн, член-корреспондент АН СССР, поднимается на трибуну и считает «рениксой», чепухой исследование феноменов.

Но об этом впереди.

* * *

Вернемся к событиям лета 1980 года. Объясняя причину резко отрицательного отношения физиков к феноменам, академик Зельдович разъяснял:

«Физике известны все дальнодействующие поля, которые взаимодействуют с материей: электромагнитное, акустическое, гравитационное. Поэтому представление о каком-то поле, которое бы не обнаруживалось приборами, не выдерживает критики».

Дело в том, что вместе с сообщениями о феномене Джуны появилось объяснение ученых, которые пустили в оборот понятие о «биополе» — некоей неведомой энергии,

излучаемой руками людей со сверхвысокой чувствительностью, то есть экстрасенсов. Этим «биополем» объяснялась способность к диагностике и лечению руками.

Открытие нового поля — переворот в науке: каждый знает, к чему привело открытие электромагнитного поля. Однако ни в одной физической лаборатории мира реальность «биополя» никем не была установлена. В то же время член-корреспондент АН СССР Спиркин утверждал, что «биополе» — явная, доказанная реальность. Такой прибор как фотоэлектронный умножитель фиксирует энергию биополя экстрасенса».

Вот это заявление вызвало бурное опровержение.

Однако многие, опровергая уязвимое объяснение факта, зачеркивали сам факт: вместе с нечистой водой выплескивали ребенка.

Каким полем объясняется «эффект Джуны», я не знаю. Может быть, известным, может быть, неведомым науке. Проблема для меня была в том, чтобы работу по выяснению «эффекта» начать. Но кто отважится на такое дело после столь категорических заявлений президентов двух академий?!

Далеко не все действительные члены академий с порога отвергали понятие биополя. Вот что сказал по этому поводу академик Борис Раушенбах:

«Например, утверждают, что биополя нет. Как нет? Температура моего тела — 36,6, а в комнате — 20 градусов. Значит, вокруг меня образуется тепловое поле биологического происхождения. Другое дело, что, на мой взгляд, биополе — это обычное физическое поле. Но мы пока не знаем его свойств, поскольку, скорее всего, это комбинация полей — теплового, электрического и так далее. Причем, возможно, модулированных, то есть способных нести достаточно подробную биологическую информацию. Отрицать такое биополе — все равно что отрицать существование латуни потому только, что она — сплав, и ее нет в таблице Менделеева...».

В те дни, когда в Москве появилась Джуна, и вспыхнул спор о биополе, Андрей Вознесенский сочинил стихи:

Вы читали! — задавили Челентано!
Вы читали — на эстраде шарлатаны!
Вы читали — наводнение в Италии!
Не иначе, это Джуна, я считаю.
Начиталась, наглоталась эпохально...
Вы читали! — биополе распахали...

А я в те дни написал четверостишие, имея в виду Джуну и себя, решив всем, чем смогу, помочь Джуне:

Но и один ведь в поле воин,
Когда выходишь в биополе.
И чем оно не поле брани?
Где могут и побить, и ранить...
Но боя жар пьянит и манит.

В квартире на Арбате с автором книги Львом Колодным. 1982 год.

Джуна привлекла внимание не только мастеров культуры. Ее бурное врачевание в поликлиниках без диплома врача вызвало возмущение в отделах науки и идеологии ЦК партии. Там побудили ученых провести объединенную сессию двух Академий, скоординировав их акцию, там инспирировали статьи в журналах.

Джуна жила летом 1980 года в комфорте, в окружении поклонников, но ощущала тайное противодействие. С апреля по сентябрь пребывала в чужой квартире без прописки. Ее накануне Московской Олимпиады могли выселить из столицы без штампа в паспорте. И купить квартиру без него не могла.

Как же так, а покровительство члена правительства и ЦК партии? Но при всем своем высоком положении и авторитете в государстве Байбаков был хозяйственным руководителем. Наука и идеология ему была неподвластна. Решить проблему «эффекта Джуны» могло политическое руководство.

* * *

Как она руками диагностирует и лечит?

Внешне все выглядит так. Джуна обычно не перемещает без прикосновения рук легкие предметы, не движет стрелку компаса, хотя кое-что из труднообъяснимого может. Так, например, способна засветить фотопленку в плотном конверте. Продемонстрировала это в Тбилиси на международном симпозиуме по бессознательному. Занимается ежедневно (исключая дни, когда болеет) исцелением.

Подносит руки к больному, водит ими вокруг головы, рук, тела, ног и устанавливает: где что болит, были ли прежде операции или ранения, остался ли в теле

Осколок или пуля — то есть диагностирует. Теми же руками, как бы поглаживая, но не касаясь тела, массирует и лечит. В эти минуты люди обычно (но не всегда и не все)

ощущают легкое покалывание слабым «током», ощущают тепло или холодок, дуновение ветерка. Причем «покалывание» носит волновой характер: можно даже ощутить направление движения волны. Если Джуна водит руками в горизонтальной плоскости, то и волна распространяется горизонтально, справа налево. А если водит руками в вертикальной плоскости, то и волна идет сверху вниз или снизу вверх.

.Впервые я ощутил волну на расстоянии трех-четырех метров, будучи в комнате. Волна, например, хорошо чувствуется, если люди берутся за руки, образуя нечто вроде хоровода, замкнутой цепи.

Первый очерк о Джуне я сочинял, испытывая двоякое чувство: с одной стороны, хотелось рассказать о ней, и в то же время опасался протянуть утопающим в море недугов «соломинку», за которую они бы напрасно стали хвататься. Поэтому не назвал ни одной болезни, которую Джуна лечила. Казалось бы, все предусмотрел, но нечаянно вызвал бурный поток писем от тех, кому никто помочь не мог. В одном месте обмолвился, что у меня с утра болела голова, а вот Джуна поднесла к ней руки, и боль моя прошла. И тысячи страждущих, у которых голова, оказывается, раскалывается по многу лет, и никакие лекарства не могут ее снять, взялись за перо. Откликнулись и те, у кого болели руки и ноги, глаза и уши...

Надежда людей, не дождавшихся помощи, угасла, вызвав вместо вспыхнувшей радости вражду к пишущим, готовых «ради гонорара сочинять любые небылицы», как выразился автор одного из писем.

Однако не писать о Джуне было нельзя. Это тот случай, когда истина сосуществует с острой как боль проблемой. Ее замалчивать — наносить вред. Есть еще одно неприятное следствие. Прикрываясь как щитом информацией прессы о целителях, процветают проходимцы, мошенники. Так в жизни всегда: вырастает в саду плод, и вместе с ним — вредитель... Выход один: лелеять плод и уничтожать вредителей.

Джуна — не дипломированный врач, однако практика ставит ее в ряд с самыми известными докторами, потому, что нередко исцеляет тех, кому никто не помогает.

* * *

Еще несколько необходимых отступлений об истории лечения руками. Этот метод с незапамятных времен описан во множестве разных источников. Например, в сообщениях известного австрийского врача А.Месмера, лечившего руками, который пользовался широкой популярностью в XVIII веке в Вене и Париже; его деятельность в 1784 году осуждена Парижской академией наук, признавшей практику А.Месмера шарлатанством, обманом, а случаи исцеления — результатом «воображения и подражания». Также метод встречается в далеких от медицины источниках, таких как Евангелие, где приводится много разных примеров исцеления методом наложения рук. Цитирую:

«14. Пришел в дом Петров, Иисус увидел тещу его, лежащую в горячке.

15. И коснулся руки ее, и горячка оставила ее; и она стала служить им» (Евангелие от Матфея, глава 8).

Целители, действующие «наложением рук», известны давно. Но Джуна первой в СССР стала, благодаря своим усилиям, предметом всестороннего анализа физиков, физиологов, медиков. Отвечу на вопрос, который мне могут задать читатели, осведомленные, что право на лечение больных в нашей стране, как и других развитых государствах, имеют только дипломированные врачи. У Джуны диплома врача, повторяю, нет. Как же она лечит? На каком основании? А она не лечит как врач.

Это профессиональная массажистка. Пальцы у нее необыкновенные — длинные, гибкие, до 11 сантиметров, сильные, исключительно пластичные, поразительно красивые, ее пальцы — чудесное произведение природы.

Джуна занимается массажем, но — БЕСКОНТАКТНЫМ. Вот так диагностирует и излечивает, не давая никаких назначений, лекарств, таблеток, трав и так далее, не отменяя никаких предписаний врачей. Однако юридически — не лечит...

По этому поводу процитирую справку, данную известному грузинскому целителю Г. Кенчадзе советником юстиции II класса Г. Миллером в одной из юридических консультаций Московской областной коллегии адвокатов:

«Вопрос: могут ли считаться врачеванием действия, если их техника не предполагает применения знаний и предметов, изучаемых в каком-либо медицинском заведении?

Ответ: если программы учебных заведений не предусматривают приобретения знаний и умений, которыми обладает лицо, снимающее болевые ощущения или излечивающее, то его действия не могут классифицироваться как врачевание».

Впрочем, это не помешало обладателю данной юридической справки многократно привлекаться к судебной ответственности за незаконное врачевание... В то же время ни разу за долгие годы его практики ни один научный институт города, где он живет, а их в Тбилиси десятки, ни разу не решился проверить научными способами, на чем основано лечебное воздействие, которое, как удостоверяют десятки письменных свидетельств больных, было благотворным.

Волны, исходящие от Джуны, есть, очевидно, у каждого. Простой опыт доказывает это. Если вытянуть перед собой руки, разжать пальцы и поднести их друг к другу так, чтобы напротив большого пальца оказался большой, напротив указательного — указательный и так далее, но не касаться ими друг друга, то можно почувствовать, как между пальцами проходит слабый разряд, как от слабого тока в телефонной сети. Если кто-нибудь между пальцами протянет ладонь, то, возможно, через несколько секунд ощутит этот слабый разряд в виде покалывания или в виде тепла.

Исцеляет Джуна не словом, не внушением, не своим впечатляющим видом, как это делают психотерапевты, гипнотизеры, будь то во сне или наяву.

Однако многие специалисты считали — как она исцеляет, известно давно: лечит она только функциональных больных и только внушением.

Что такое функциональная болезнь, и чем она отличается от нефункциональной, каждый может прочесть в энциклопедии, скажу только, что пренеприятная вещь — функциональная болезнь. У человека ничего не поражено, все вроде бы на месте, а он не видит или не слышит, не может ходить на своих ногах или испытывает бессилие и тому подобные неприятности. Бывает, больной так и сходит в могилу, не увидев свет, не услышав звук, хотя считался всего лишь функционально больным, слепым или глухим.

Во время киносъемок фильма «Юность гения», где Джуна играла целительницу, режиссер пригласил на роли статистов инвалидов, проживавших в доме престарелых в Самарканде. Джуна до начала съемок знакомилась с ними, «прослушивая» своими руками.

«Этот старик глухой», — сказала она, обращаясь к режиссеру. Поводила, как обычно, руками и вдруг заявила: «Подождите, он сейчас услышит!».

Режиссер прервал съемки. Наступила тягостная тишина. Джуна забыла о кино, что пришла на съемочную площадку в нарядном платье времен Авиценны, и начала делать то, что всегда: пассы, массаж. Так прошло полчаса. Присутствующие устали от нервного напряжения. Режиссер первый не выдержал и вышел со съемочной площадки покурить. Вернулся и застал такую картину. Все застыли на местах, и в царившей тишине было слышно, как Джу-

На съемках фильма «Юность гения» в роли целительницы Юны

на и старик разговаривают. Режиссер пожалел, что не снял эту сцену. Старик упал на колени, начал молиться, благодарить Джуну, обещая зарезать в ее честь барана. Этот случай — яркий пример того, как излечен больной, страдавший функциональной глухотой. Приведу другой пример из практики нашего знаменитого хирурга-ортопеда Гавриила Илизарова. К нему в Курган приехал больной из Ташкента, страдавший хромотой. Он не мог ходить на прямых ногах — они подгибались. К Илизарову попал случайно, встретив в поезде попутчика, излеченного доктором от внешне подобной хромоты. Несколько лет после этого прошли в мучительном ожидании. Наконец пришел вызов из Кургана, и вот что было дальше:

«Илизаров внимательно осмотрел моего мужа, — цитирую полученное мною письмо. — А потом загипнотизировал его и сказал: «Идите!». И мой муж пошел на прямых ногах, как будто никогда и не болел. Илизаров сказал нам, что операции делать не нужно. А нужно найти в Ташкенте гипнотизера и тренироваться в ходьбе».

Гипнотизера такой силы, как Илизаров, моя корреспондентка так и не сумела найти, и ее муж как ходил на полусогнутых ногах, так и ходит, хотя недуг у него функциональный...

Но не одного глухого старика исцелила Джуна на моих глазах. Под наблюдением врачей возвращала слух глухим с диагнозом «неврит слухового нерва», пострадавшим от применения антибиотиков в детстве. Это не функциональные недуги... Все происходило в Москве не так, как на съемочной площадке. Требовались не минуты, как в Самарканде.

...Шли дни. После каждого сеанса делались аудиограммы. Вначале глухие ничего не слышали. Однако аудиограмма после первого же сеанса показывала: начался процесс выздоровления. Сначала он был заметен только приборам, фиксировался на графике: кривые начинали подниматься вверх на разлинованном листке, двигаясь из зоны практической глухоты в зону слышимости.

Наконец, после семидесяти сеансов глухой вздрагивал, когда возле уха раздавался звонок. Исцеленный смотрел на всех широко раскрытыми глазами, не веря ушам своим. Но Джуна наперед знала, что это случится, потому что берется она лечить только тех, у кого, как говорит, «цел нерв».

Глухие начинали слышать отдельные звуки, потом слова. У их родных на глазах наворачивались слезы, и они спешили в поликлинику, чтобы сделать очередную аудиограмму и убедиться еще раз: «Исцеление!».

* * *

Задолго до журналистов удалось описать Джуну стихотворцам. Вот что сочинила 16 мая 1980 года поэт Ирина Панова:

Даже если оно без порока,
Если истиной было всегда,
Там, где знанье входило до срока,
С ним была неразлучна беда.
Сколько раз ему крылья ломали,
Не пускали в привычную быль
И надолго о нем забывали,
Отправляя в архивную пыль...
Так непризнанным и оставалось
Это знанье до лучшей поры,
Где открытое вновь открывалось,
Как далеких созвездий миры.
Сколько лет приносило бы радость,
Сколько даром растраченных сил!
Не понять — это попросту слабость,
Пострашней, если кто-то гасил
Тот взволнованный свет, что не понят
И не принят в привычные дни.
Открыватели сказками кормят?
Так откуда ж земные огни?

За всем блеском и шумом, окружавшим Джуну в первые ее дни в Москве, поэтесса увидела — прибыла она в столицу раньше, чем следовало бы, ей придется трудно. И, глядя на порхающие руки, с грустью думала, как бы их не обломали...

Я входил в дверь, за которой находилась Джуна, в отличие от поэта, без тени сомнения, до сессии двух академий. Мне казалось, ее час пробил, коль раз даже члены Академии наук СССР пишут об «экстрасенсах» — людях, обладающих экстрасенсорным, то есть сверхчувственным восприятием.

В конференц-зале «Московской правды», где выступал известный философ Спиркин, я услышал:

«Вот если бы здесь на сцене был такой сильный экстрасенс, как Джуна Давиташвили, то она бы дала вам энергию всем, и вы бы, подняв руки, почувствовали (подавляющее большинство, примерно девяносто пять процентов сидящих в зале) ее сильное биополе...».

В этот момент раздалась реплика из зала.

— А приборы ее чувствуют?

— Нет.

— Почему?

— Такая специфика. Когда проверяли Джуну, приборы не чувствовали. Но у нее очень сильное биополе...

Я слушал, что говорилось в зале, а перед глазами вставала другая героиня, другой феномен, встреча с которым состоялась в Ленинграде.

Вблизи знаменитого Кировского завода, в одном из серо-кирпичных типовых домов увидел я в начале 1968 года тогда Нинель Сергеевну Кулагину, домохозяйку, мать троих детей, жену инженера-судостроителя Балтийского завода Виктора Васильевича, пытливого и склонного к научным изысканиям. Его жена обладала способностью передвигать самые разные предметы без прикосновения рук. Умела она и многое другое, что считалось фокусом, в лучшем случае — мошенничеством, и шарлатанством — в худшем. Так, Кулагина читала пальцами, руками засвечивала в темноте фотопленку в черных конвертах, оставляла рисунок именно такой, какой хотела она и испытатели. Ей повиновалась магнитная стрелка компаса, она вращала ее в любую сторону, вращала и сам компас вместе с ремешком!

Вместе с Эдуардом Наумовым, тогда молодым биологом, энтузиастом, показавшим любительский фильм о Нинель Кулагиной, снятый ее мужем, в редакции «Московской правды», мы поехали в Ленинград. Я увидел на экране, как в кабинете великого Менделеева в Институте метрологии женщина средних лет с ямочками на щеках играла маятником старинных настенных часов в стеклянном футляре красного дерева, ускоряла и замедляла ход как хотела! То был далеко не легкий предмет. Мы хотели сделать фильм о телекинезе. Я позвал на съемку моего друга Николая Рахманова, известного фотографа, а фильм снимали приглашенные Эдуардом кинооператоры Ленинградской студии научно-популярных фильмов. Его сразу засекретили.

Фильм получился короткий, но замечательный. Нинель Сергеевне все тогда удавалось — быстро и легко, а надо сказать, что телекинез требует величайшего напряжения физических и духовных сил. Порой безуспешно манипулировала руками над компасом, но стрелка не повиновалась. Но когда удавалось ее раскрутить, все шло как по маслу. На радостях вертела стрелку даже не поднося к компасу руки. Ей достаточно было вращения головы. Казалось, стрелка подчиняется мысленному приказанию!

Вскоре нам с Наумовым удалось организовать приезд Кулагиных в Москву, встречу с учеными Физического института Академии наук СССР, знаменитого ФИАНа, и физиками кафедры физического факультета МГУ, руководимой профессором Ремом Хохловым, будущим академиком и ректором университета.

— Если Кулагина фокусница, то гениальная, — сказал мне профессор, сидя за рулем «Волги», везущей на заднем сидении из гостиницы в университет Кулагину с мужем, — но тут, по-видимому, дело не в нитях...

Три дня физики наблюдали за действиями Нинель. Ее усадили за массивный письменный стол, расположив на нем разные предметы под стеклянным круглым колпаком. Колпак понадобился, чтобы убедиться в очевидном: передвижение производится не с помощью тончайших невидимых нитей, демонстрируется не фокус, а явление природы.

Все что хотели, физики увидели. Вели протокол. Снимали фильм. Но протоколы об экспериментах сопроводили припиской, что поставлены «некорректно». Кто мешал поставить все правильно по законам науки?

* * *

Версия о невидимых тончайших нитях оказывала самое серьезное влияние на судьбу не только непознанного явления, но и семейства Кулагиных. Нинель удивляла домашних и друзей. Среди прочих талантов у нее проявилась способность к жжению. Рукой могла, прикоснувшись к телу, обжечь, да так сильно, что на коже оставался ожог, самый натуральный, появлялись волдыри...

В середине шестидесятых годов Кулагина познакомилась с профессором Ленинградского университета членом-корреспондентом Академии медицинских наук Леонидом Васильевым, учеником великого физиолога Бехтерева, всю жизнь интересовавшегося исследованием феноменов. Профессор до войны изучал телепатию, внушение на расстоянии в лаборатории Бехтеревского института. Ему же удалось в 1960 году организовать лабораторию для изучения мысленного внушения в Физиологическом институте университета в Ленинграде.

Именно Васильев всю жизнь оставался верен заветам учителя — не прекращал исследований труднообъясни-

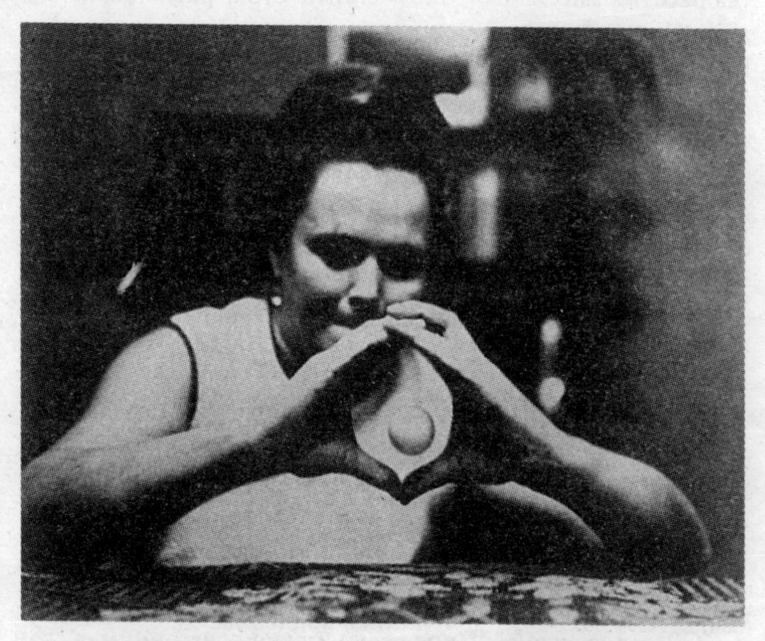

Экстрасенс Нина Сергеевна Кулагина в начале 1960-х годов прославилась на весь Советский Союз как Нинель Кулагина. Ее феномен исследовали в Институте радиоэлектроники АН СССР

мых явлений, хотя подвергался гонениям. Его, как водилось, обвиняли в идеализме, мистицизме, пособничестве шарлатанству. В 1959 и 1962 годах, в «оттепель», профессору удалось издать в Москве в Госполитиздате книги «Таинственные явления человеческой психики» и «Внушение на расстоянии».

В первой работе он в нескольких строчках упоминает о телекинезе. Не более того. Тогда же в его лаборатории начались негласно эксперименты с Кулагиной, и она публично продемонстрировала телекинез. Когда ей это удалось, профессор, не скрывая чувств, обратился к присутствующим и спросил: «Вы видели?».

И услышал от каждого: «Да, видел!».

Профессор явно волновался, молча оглянул сотрудников лаборатории, преподавателей университета и с пафосом произнес:

— Друзья, да, вы видели редчайшее явление природы, но прошу вас, никому об этом не говорите!

Почему так разволновался профессор, просил хранить тайну — то, что показала в лаборатории Кулагина? Какой такой секрет представлял невинный телекинез?

Классическая психология выводит за свой круг телекинез, относит его к «парапсихологии», считавшейся в СССР «лженаукой». Профессор лучше всех понимал, какие беды грозят обладательнице редчайшего дара.

Среди других необъяснимых феноменов телекинез является особенно крамольным. Я написал выше, что предметы как бы подчинялись мысленному приказу Кулагиной. Вот здесь-то и подстерегала профессора опасность: стоило об этом сказать, написать, как раздавался карательный окрик:

— Как?! Разве можно мыслью передвигать физические тела?! Ведь мысль идеальна, физически не существует, как можно НИЧЕМ передвигать НЕЧТО? Да ведь это же махровый идеализм!

Но кто сказал, что передвижение производится мыслью? Это только кажется, что мысленное приказание целиком ответственно за вращение стрелки компаса. Нужно исследовать, что на самом деле происходит в момент передвижения и с руками Кулагиной, и с ней самой, и с теми предметами, которые передвигаются.

Эта работа требует лаборатории, оснащенной новейшей аппаратурой, требуется время, сотрудники, средства, причем немалые. Наконец, нужно, повторюсь, мужество исследовать то, что при советской власти несло на себе ярлык идеализма.

У профессора Леонида Леонидовича Васильева сил, чтобы прикрыть Нинель Кулагину и ее семью, когда над ней после клеветы в прессе Ленинграда разразилась буря, не осталось. Он скончался в глубокой печали, что не довел главное дело жизни до конца.

После смерти профессора в его бывшей лаборатории сначала тихо, потом громко стали говорить, я это слышал своими ушами: телекинез осуществляется тонкими невидимыми нитями! Так родился злостный миф, преследовавший много лет Кулагину и ее мужа, которого считали пособником жульничества. Об этом и сегодня можно услышать и прочитать.

У Кулагина оставалась надежда на знаменитый институт метрологии. Попасть в него члену партии помог райком КПСС по месту жительства, куда Виктор Васильевич обратился за помощью. Строителю кораблей казалось: здесь, в институте, основанном великим Менделеевым, служат люди, способные провести тонкие научные наблюдения.

Однако именно здесь родился другой лживый миф: стрелка компаса перемещается магнитом, спрятанным под одеждой!

Наконец, третий институт в Ленинграде, носящий имя Бехтерева, дал в 1964 году в печать — заключение, где Н.С. Кулагина названа «аферисткой». Это была клевета уголовного порядка, достойная суда.

Предпринятая мною попытка реабилитировать Нинель Сергеевну в стенах Московского университета и ФИАНа до конца не удалась... Опыты, как сказано выше, физики признали «некорректными».

С тех пор стоило мне где-нибудь среди ученых сказать о Кулагиной, как тотчас слышал:

— Движет предметы, говорите, вращает стрелку компаса?

— А тарелки и блюдечки она движет, столы вертит?

— Да ведь это, молодой человек, известное всем разоблаченное давно «столоверчение», да это же низкопробный спиритизм, высмеянный еще Фридрихом Энгельсом в его статье «Естествознание в мире духов» ... Почитайте статью...

О Нинель Кулагиной не только были даны постыдные заключения трех институтов. Написаны десятки лживых статей. Вышли книги, где пишется о ней, как о необыкновенной «шарлатанке», обманывающей простаков-ученых. Вместе с ней досталось и мне после очерка в «Московской Правде» как пропагандисту лженаучных измышлений. Орган ЦК партии газета «Правда» напечатал заметку «Чудеса в решете», где мне напомнили о герое Гоголя, глотавшего летевшие в рот галушки. Пришлось писать объяснительные записки в ЦК и МГК КПСС, отступить: плетью обуха не перешибешь... Это было в 1968 году.

Поэтому летом 1980 года, услышав публичное выступление члена-корреспондента Академии наук СССР, я вспомнил давнюю историю с телекинезом и подумал — не настало ли время вернуться к заветной теме? Вспомнил, что получил в редакцию газеты письмо, где выражалась поддержка, делалась попытка объяснить телекинез с философских материалистических позиций. Автор письмо подписал: А. Г. Спиркин, вице-президент Философского общества СССР... Но даже столь высокое общественное положение автора не помогло: опубликовать его мнение в «Московской правде», где я служил, мне не удалось.

Я решил испытать судьбу еще раз. На следующий день я поспешил на улицу Усиевича вблизи метро «Аэропорт». Здесь находился дом, давший кров Джуне. Это случилось 2 июня 1980 года, напоминанием чему служит ее автограф с датой, оставленный на странице апрельского номера журнала «Литературная Грузия», где опубликован очерк писателя Реваза Джапаридзе под названием «Мистика или реальность?». Содержание очерка подводило читателя к однозначному ответу: феномен Джуны — реальность. В очерке описывались случаи излечения простатита (воспаления предстательной железы), язвы желудка, тремора рук и ног, то есть болезни Паркинсона, гипертонии, бронхиальной астмы, облитерирующего эндеартерита и паралича нижних конечностей...

Случаи описывались фантастические. Некий житель Тбилиси после паралича ног четыре месяца принимал общий массаж, физиотерапию, лекарства... Ничего не помогло. Попробовал иглотерапию — тот же результат. Получил инвалидность первой группы. «Безвыходность положения привела меня к Джуне Давиташвили, — писал пациент В. Г. Сучков. — После 30 сеансов впервые поднялся, опершись на собственные ноги, и начал передвигаться с помощью костылей. Полностью утерянная чувствительность восстановилась до пяток. Каждый день приносит мне улучшение».

Особенно удивило меня отношение врачей Министерства здравоохранения республики. «Живое внимание, — заключал очерк писатель, — которым окружена Джуна Давиташвили со стороны медицинской общественности Тбилиси, заинтересованность, которую высказывает Министерство здравоохранения республики к ее экспериментам — все это служит гарантией того, что очень скоро с одобрения вышестоящих инстанций в столице откроется лаборатория по исследованию проблем биоэлектроники».

Однако автор проявил излишний оптимизм, выдав желаемое за действительное: никто не спешил создавать лабораторию. Минздрав республики сформировал комиссию, и эта комиссия дала заключение: никакой Джуна не феномен, а наблюдаемые случаи исцеления объясняются внушением. Поэтому, когда за ней приехал сын члена ЦК правительства СССР, взяв на руки сына, она поехала искать счастья в Москву.

Ее пригласил в лабораторию профессор Спиркин. Начались встречи в редакциях журналов. В мартовском номере популярного журнала «Техника — молодежи» появилась статья «Познавая психобиофизическую реальность». Но без имен феноменов. В ней подробно говорилось о наличии некоего биополя. Это понятие, впервые введенное в науку советским биологом А.Г. Гурвичем, появилось в 1944 году в монографии «Теория биологического поля». Им объяснялось воздействие на больных. «Биополем» объяснялся и феномен Джуны.

Она говорила журналистам:

«Когда я провожу рукой вдоль человеческого тела, мои пальцы начинают испытывать самые разные ощущения. То вдруг начинается покалывание, то чувство тепла, то холод... Так, например, раковая опухоль вызывает резкое ощущение холода в руке».

На глазах корреспондента Джуна залечила незаживающую язву.

«Сняты бинты. Черный круг на коже, в центре которого углубление, слегка увлажненное, — писал очевидец. «Сейчас я сделаю несколько движений, рана подсохнет, потом сквозь подсохшую корочку начнет сочиться кровь, а потом все затянется», — заявляет Джуна. Она начинает водить по коже вдоль черного пятна пальцами левой руки. Все происходит так, как она говорила. Подсыхает рана. Засохшая корочка. Вот она покраснела. Проступили мельчайшие капельки крови. «Все! ... Я думаю, — говорит Джуна, — нужен еще один сеанс, после чего можно будет сказать, что излечение произошло». Итак, проинформированный о чудесах Джуны, я без стука вошел в дверь

Сияние от рук во время лечебного сеанса

незапертой квартиры, предоставленной в ее распоряжение. Квартира находилась на верхнем этаже многоэтажного дома. По его лестнице, начиная от подъезда, вдоль стен на ступеньках и площадках стояли люди. Они дожидались своей очереди. Люди вели себя тихо, чтобы не нарушить покой жильцов, подвергшихся нашествию непрошенных гостей.

Попал я в обычную московскую квартиру. Большая смежная комната, заставленная по стенам мебелью, увешанная сувенирами, привезенными из зарубежных поездок (сомбреро, африканские маски и тому подобное), являлась приемной Джуны. Здесь я ее впервые увидел. Стройная, выше среднего роста, похожая на цыганку, как мне показалось, молодая женщина, необычно подвижная и темпераментная, была вся заряжена жизненной силой.

В одно и то же время разглядывала всех, кто входил, переговаривалась с домашними — родственниками и знакомыми, помогавшими ей по хозяйству и в уходе за маленьким сыном, брала часто звонивший телефон, вела бурные переговоры на русском, грузинском и ассирийском языках, и в то же время помахивала руками над головой, плечами, грудью, животом, ногами тех, кто стоял перед ней. Иногда она сажала в кресло, если это ей требовалось, процедура продолжалась недолго, всего несколько минут, кому доставалось полторы, кому две и три минуты, кому больше. Но все вершилось довольно быстро — люди входили и уходили, не особенно задерживаясь. И не расплачиваясь.

В числе тех, кто заполнял квартиру, начал различать знакомые лица, виденные на экране телевизора. Прошел в дверь, ни на кого не глядя, известный писатель Леонид Леонов, начавший творческий путь с благословения Максима Горького.

Появился молчаливый композитор, чьи песни пела вся страна. Вошел широкоплечий эстрадный певец и другие столь же популярные люди.

Джуна всем уделяла одинаковое внимание, а как случилось с эстрадным певцом — вообще никакого внимания не уделила. Видимое исключение составляли двое — Аркадий Райкин и Роберт Рождественский. С ними она удалялась в маленькую изолированную комнату и проводила сеанс более длительный.

В эту маленькую комнату пригласила она и меня после долгого ожидания. Впрочем, я не спешил, осваивался с необычайной обстановкой. В тот день со мной пришла к Джуне знакомая журналистка К., женщина средних лет. Но с иной целью, чем я. Не писать. Лечиться. Упросила Джуну обследовать себя.

Встала Джуна перед К. и словно начала читать, глядя на больную, как на афишу, не поднимая рук:

— Хронический холецистит. Беспокоит давно.

— Часто тошнит.

— Шейный позвонок забит солями.

— Гинекология в порядке.

Нарушение нервной вегетативной системы.

— В целом здорова. Предрасположения к раковым опухолям — нет.

Моя знакомая стояла онемевшая. Довольная произведенным эффектом, Джуна пояснила:

— Это я диагностировала общее состояние. Но могу каждый орган в отдельности проверить. И глаза, и уши...

Тишина длилась недолго.

— Дайте мне кафедру и институт. Я хочу раскрыть медикам глаза, — заговорила она вдруг с яростью, обращаясь к нам, журналистам. Так я впервые услышал и увидел Джуну в роли проповедника, хотя, честно говоря, не придал особого значения ее словам. Лечить и диагностировать — считал возможным. Но дать кафедру и институт?!

Спустя семь дней после первого стихотворения, посвященного Джуне, И. Панова написала стихи, поддавшись страстному желанию своей героини передать людям свой дар.

Один человек научился летать
и было ему удивительно просто,
ну, скажем, рукою до тучи достать,
хоть был он не очень высокого роста.
Он сам не гадал, отчего, почему,
летал — вот и все. Но гадали другие,
за что от рожденья достались ему
высокого неба поля голубые.
А он улыбался: «Я вас научу.
Хотите лететь? Я открою секреты.
Вы только поймите, что я не шучу,
поверьте в себя — и сумеете это».
Но люди смотрели, как быстро с земли
он вверх поднимался свободно и смело,
да только поверить в себя не могли.
Выходит, и это — нелегкое дело!..

У меня Джуна поначалу вызывала иные чувства. В глаза бросилось отсутствие порядка, шум и неразбериха, бесконечные телефонные звонки, хлопанье дверей, все то, что так не подходит к таинству исцеления. Было поэтому неожиданным вдруг оказаться в комнате вдвоем, где никто не шумел, не смотрел умоляющими глазами в ожидании, пока она начнет священнодействовать руками-крыльями.

Часа два мы смогли поговорить без помех. Меня интересовали подробности ее жизни, волновал вопрос — видит ли она действительно так называемую «ауру», свечение над головами людей, о котором писал профессор Спиркин? Хотелось на себе испытать способности Джуны, чтобы она продиагностировала, дала почувствовать свой дар.

Всему, что она говорила, я мог верить и не верить, доказательств никаких не было — все могло показаться. Но когда Джуна, посмотрев мне в лицо, сказала, что один глаз, правый, сигналит слабее левого, я потерял покой. Увидеть это невозможно, родственники и знакомые не замечают никогда моего недостатка зрения. Диагноз — врожденный астигматизм, зрение на правый глаз — 0,1, хотя увидеть, что глаз плох — невозможно. Окулисты устанавливают болезнь, заглянув в глаз через увеличительное стекло.

От Джуны, не теряя времени, пришел домой и на одном дыхании без помех написал очерк, воспользовавшись тем, что домашние находились в Карпатах, в санатории. Там моя одиннадцатилетняя дочь принимала курс лечения после перенесенной тяжелейшей желтухи. У нее увеличилась, как это обычно бывает после этой болезни, печень.

Очерк положил в письменный стол, а на следующий день, встретив жену и ребенка, не дав им передохнуть с дороги, повез к Джуне, не предупреждая о визите. Впрочем, она не удивилась. Ничего не спрашивая, усадила перед собой на диван жену и дочь и сначала поведала о медицинских проблемах жены, а потом, протянув руку к дочери, сразу сказала о главном:

— У нее увеличена печень, она недавно перенесла желтуху, ей внесли инфекцию.

Это действительно было именно так — внесли инфекцию во время прививки в школе, где желтухой заболели сразу несколько одноклассников. Кроме того, Джуна заметила, что у дочки болит горло, она простужена: тоже оказалось сущей правдой, тонзиллит не давал нам покоя.

Рука потянулась к печени. Ребенок мой, не дожидаясь вопроса, сказал, что почувствовал тепло. От Джуны жена поехала в поликлинику, где терапевт подтвердил, да, печень увеличена, несмотря на то, что почти месяц проводился курс лечения в специализированном санатории.

Таким образом, вместе с ребенком я начал каждый день наносить визиты Джуне. Где-то на шестой или седьмой день она, как обычно делает, когда довольна результатом, глубоко вздохнула и коротко сказала: «Все, теперь у нее норма. Через месяц повторим курс для профилактики». Опять мы поехали в детскую поликлинику, к терапевту, и тот подтвердил: печень вошла в норму, сказался, по-видимому, результат лечения в Карпатах.

Вот тогда я понял, что врачам доказать воздействие Джуны очень трудно. Действительно, эффект лечения на курорте мог сказаться не сразу, наконец, случается, печень и сама под влиянием защитных сил организма справляется с недугом.

Жена во время посещений Джуны лечила отложение солей, доставлявшее ей месяцами неприятные ощущения. На седьмой день боль в затылке исчезла, она даже не заметила, как это произошло, забыла, что собиралась днем ехать к Джуне. И не поехала. А я — зачастил.

Джуна начинала работу довольно поздно, после полудня. К тому времени квартира набивалась людьми. Приняв всех, наскоро перекусив всухомятку, уносилась в очередную поликлинику. Я беседовал с людьми и узнавал разные удивительные истории. Большинство их никому неизвестны, потому что Джуна записей не вела. Некоторые благодарные люди оставляли ей свои, как она говорила, отзывы. Их накопилось к моему приходу много. Она со всех сняла копии и сброшюровала «отзывы» в книгу.

Книга та хранится у меня. И могла бы быть издана как интереснейший документ в истории медицины. Кроме «отзывов», есть на страницах книги рентгеноснимки, кардиограммы, результаты онкологических наблюдений, фотографии, сделанные с экрана термовизора, одним словом, даны объективные показания.

Эффект Джуны лучше всего проявлялся на детях, страдавших косоглазием. К ней приносили на руках младенцев с врожденным недугом. Как рассказывали родители, эту болезнь обычно начинают лечить, когда дети подрастают, процесс лечения длительный. На моих глазах к Джуне поднесли младенца, и она, не прикасаясь руками к его глазкам, как бы поглаживала розовое личико. Не минуты, а секунды длилось воздействие.

Один из сеансов на дому

Я застал молодую пару, которая принесла Джуне младенца в последний, седьмой по счету, раз. Счастливая мать дала мне полюбоваться глазами младенца, ставшими такими, как у всех здоровых детей. Таких случаев наблюдал несколько. Именно они рассеяли мои последние сомнения. Эффект от лечения руками Джуны был налицо. Дети, как известно, в таком младенческом возрасте не поддаются гипнозу и внушению. Воздействие такого рода на кривизну глаз вообще исключается. Само собой косоглазие, увы, не проходит. В возрасте нескольких месяцев не лечат косоглазие. Вот и выходит, что ничем другим, кроме как воздействием Джуны, нельзя объяснить исцеление.

Раскроем книгу «отзывов».

Кто из врачей в Москве отважился впустить Джуну в поликлинику, кто позволил надеть белый халат? Пионером оказалась районная поликлиника № 112 Краснопресненского района. В короткой справке, подписанной кандидатом медицинских наук К. П. Левченко, заместителем главного врача по лечебной части, сказано, с 5 мая по 12 мая 1980 года Джуна лечила 11 больных, страдавших неврологическим остеохондрозом позвоночника, острым плекситом и радикулитом. Цитирую:

«Отмечен выраженный эффект применяемого метода: снятие болевого синдрома наступает после первого сеанса (во всех 11 случаях), у ряда больных (7 человек) излечение наступило через стадию обострения на 2-3 день». И вывод: «Применяемый Е.Ю. Давиташвили метод представляет большой теоретический и практический интерес и заслуживает широкого внедрения в медицинскую практику».

В Москве Джуна, как и в Тбилиси, нашла лечебницы, где смогла получить поддержку практических врачей, для которых в первую очередь важен факт исцеления.

Но врачи-ученые, которые должны были все, о чем здесь идет речь, объяснить, создать условия для исследований, не спешили... Более того, с каждым днем начало нарастать их противодействие. Джуна к тому времени стала закаленным бойцом и, хотя тяжело переживала каждый недружелюбный взгляд, злое слово, не щадила себя и работала на износ.

Кроме районной поликлиники, по-прежнему появлялась в поликлинике Госплана СССР.

Джуна жила надеждой, что вот-вот выйдет отчет о встрече с ней в редакции «Огонька», где выступала среди других главный врач поликлиники Госплана Ирина Чекмачева, подписавшая два отзыва. В этой поликлинике попутно с лечением проводили «региональную реографию на аппарате Галимо с реографическими индикаторными блоками до сеанса лечения и после». То есть занялись наукой. Прибор показал, что увеличивается кровенаполнение периферических тканей, уменьшается емкость венозных сосудов, и повышается тонус магистральных сосудов. Во время лечения остеохондрозов, радикулитов проходили и сопутствующие заболевания. У кого исчезала хроническая головная боль, у кого застарелая изжога или бессонница, приступы удушья...

Вывод, сделанный главным врачом Чекмачевой, был такой же, как и в поликлинике № 112, — метод Джуны требует изучения и внедрения. Научные исследования в поликлинике проводила сотрудница лаборатории функциональной диагностики ЦИТО — Центрального научно-исследовательского института травматологии и ортопедии Т. А. Николаева, сделавшая 43 записи с помощью аппаратуры. Пространный отчет, подписанный ею 2 июля 1980 года, наполненный информацией, содержащей множество терминов и цифр, полностью подтверждает вывод, сделанный врачами двух поликлиник.

Всю информацию я внимательно изучил, но включать в очерк не стал, решил приберечь аргументы в борьбе, которая, предчувствовал, начнется. Принес написанное в «Комсомольскую правду», газету с многомиллионным тиражом, не раз выступавшую в защиту гонимых.

В редакции слышали о Джуне; она успела побывать в гостях во многих газетах и журналах, клубах. Мой очерк «На прогулку в биополе» набрали без всякой правки. Единственное, о чем меня попросили, — сопроводить мои слова комментарием крупного ученого, который подтвердил бы реальность фактов и их объяснил. На ум пришло имя Спиркина. Но к тому времени он успел выступить во многих редакциях, мои знакомые из мира науки поговаривали, мол, занялся философ не своим делом. Однако не это меня остановило. Мне хотелось получить поддержку физика.

К тому времени академика Хохлова, оставившего мне домашний телефон, не было в живых, он погиб, штурмуя горы. Не стало и профессора Вениамин Пушкина, успевшего дать Джуне письменный отзыв. 23 февраля 1978 года он подписал письмо, озаглавленное «Представителям общественных, медицинских и научных организаций г. Тбилиси», подтвердив, что «исследования показали наличие у Е. Ю. Давиташвили способностей, которые могут быть охарактеризованы как психоэнергетические». Эти способности, как писал профессор, проявлялись в диагностировании состояния внутренних органов и систем, а также в восстановлении регуляции нарушенных функций. Джуна была им исследована в лаборатории эвристики НИИ общей и педагогической психологии Академии педагогических наук СССР. «И в этой связи, — заключил профессор, — убедительная просьба оказывать всяческое содействие целительской деятельности Е.Ю. Давиташвили, поскольку материалы, полученные в ходе этой деятельности, имеют большое научное значение». И подпись: доктор психологических наук, профессор В. Н. Пушкин. Ее заверил заведующий отделом кадров института.

Кто бы мог взять на себя смелость и поддержать публикацию? Вспомнил: академик Кобзарев выступал на страницах «Техники — молодежи» и рассказывал о Розе Кулешовой, обладавшей эффектом «кожного зрения». Меня поразили слова академика, где он прямо говорил, что ученый, который не может отличить факт от вымысла, не может считать себя ученым в том случае, когда ему предоставляется полная возможность для проверки факта. За этими словами мне слышались некрасовские строки, которые, перефразируя, можно было бы сказать так: ученым можешь ты не быть, но гражданином быть обязан.

Я обратился к Юрию Борисовичу с просьбой прочесть подготовленную публикацию. Академик благожелательно выслушал меня. Отрекомендовавшись, я сказал, что однажды писал о Кулагиной и этим все ему прояснил. Академик за два года до моего звонка видел телекинез в ее исполнении. Ученый не стал откладывать дело в долгий ящик, а пригласил к себе во всем известный в Москве «Дом на набережной», у Большого Каменного моста. На встречу я отправился, прихватив пишущую машинку, надеясь, что академик сразу продиктует свои слова, и я их тут же напечатаю...

Просторная квартира была во всех углах заставлена какими-то радиоприборами, похожими на те, что я видел когда-то в школьном физическом кабинете. Показал Юрий Борисович мне хитроумный приборчик, им самим сделанный, на котором он собирался еще раз проверить способности Кулагиной: их он, не колеблясь, считал феноменальными. Ее принимал не раз в своей квартире, где она демонстрировала передвижение тех же самых предметов, которые передвигала на моих глазах.

Джуну академик Кобзарев не видел, но целительство ему было знакомо, поэтому он согласился помочь. Пишущую машинку открыть не пришлось, академик не любил диктовать. Пообещал написать сам, что и сделал через несколько дней. Так редакция получила за подписью академика, по сути, статью, где не только шла речь о «наложении рук», но и поминалось о телекинезе, причем впервые сообщалось: обнаружено оптическое свечение и ультразвуковые волны, исходящие от рук.

Привез статью академика, однако надежда на публикацию стала слабеть. Хотя Джуна и ездила каждый день в поликлиники, визиты эти совершались неофициально, тайно от Минздрава СССР. Официального отношения к ней никто не высказывал. Я решил заручиться поддержкой министра здравоохранения СССР действительного члена двух академий — АН СССР и АМН СССР — Бориса Васильевича Петровского.

С ним я встречался, проводил у него в кабинете встречу с журналистами, поэтому надеялся, что он внимательно отнесется к моим словам. А просьба была одна — провести официальные испытания способностей Джуны. Еще мечтал, хорошо бы провести эксперимент по заживлению язвы, описанный в печати.

Едва начал говорить по телефону, как академик двух академий остановил меня:

— Все это абсурд — распутинщина. Джуна — это Распутин в юбке. У нее нет диплома, все что окончила — курсы массажистов. Комиссия Минздрава Грузии разобралась во всем.

— Но она, едва взглянув на мою дочь, установила, что у нее увеличена печень!

— И я могу по лицу установить диагноз...

— Я свидетель, как на моих глазах...

— А мы вас привлечем к ответственности за лжесвидетельство, — не дав закончить, отрезал дважды академик. — И Джуну нужно судить за шарлатанство.

— Прежде чем судить, может быть, следует изучить?

— Вы нас тянете в прошлое, в мракобесие. Могу ли я встретиться с ней — ведь она тотчас же будет говорить, что и меня вылечила!

— При чем тут разговоры. Ведь есть отчеты врачей.

Меня уже никто не слушал. Трубка была брошена.

Помочь делу, в этом я больше не сомневался, должно было выступление в газете, известной публикациями

После встречи в редакции.
Слева от Джуны академик Юрий Гуляев, справа автор книги, чья статья в «Комсомольской правде» сделала Джуну знаменитой

в защиту доктора Гавриила Илизарова, доктора Святослава Федорова. Долгие годы им не удавалось получить признание Министерства здравоохранения СССР и Академии медицинских наук, которые теперь не хотели признать Джуну.

Стояло жаркое июльское лето московской Олимпиады. Я ездил к Джуне по свободной от машин олимпийской трассе — Ленинградскому проспекту. В те дни побывал у нее Владимир Высоцкий.

Выглядел артист плохо — разбитым и тяжело больным.

Песни о Джуне не успел сочинить. Вскоре его не стало.

Тогда поэт, возможно, вспомнил свою песню о Кассандре, которую я взял эпиграфом. Моя героиня походила на яростную Кассандру, которой не верили. Всех, кто только приходил к ней домой, как завороженная, заклинала:

— Пусть дадут мне врачей, я им все покажу. Это каждый сможет! Это же добавление к медицине, профилактика организма. Красный крест в доме! Мать будет исцелять дитя. Жена — мужа...

В эти минуты Джуна выглядела одухотворенной. Натура она артистическая. Крупные глаза светятся, как черные алмазы. Лицо способно принимать множество выражений. На фотографиях — всегда разная, глядя на них, может показаться, что это не одна и та же женщина. Не случайно снималась в кино...

Особые отношения сложились у нее с Аркадием Райкиным. К моменту знакомства с Джуной он стал инвалидом. Ходил на костылях.

Много красивых слов написал Расул Гамзатов:

— Майский день, когда пришел к вам, я был похож на подстрочник стиха, где не хватало рифмы, ритма, где была разрушена гармония, красота и мелодия песенных слов. От вас я ушел как оригинальный перевод. Вы вернули мне живую душу поэзии и избавили от скованности...

Расул Гамзатов поднимался без лифта (он не работал), я это видел, на восьмой этаж к Джуне по лестнице!

Скептик скажет, что такие впечатлительные люди как артисты и писатели легко поддаются внушению. Сам Аркадий Райкин, как бы предвидя такую реакцию, утверждает: «Она не занимается гипнозом, а воздействует на биополе больного своим биополем».

У Джуны появились отзывы врачей-ученых. Кандидат медицинских наук после осмотра у проктолога Киевского района Москвы получил срочное направление на операцию. Диагноз — неполный свищ прямой кишки. Врач не захотел подвергать себя операции и, вместо того, чтобы лечь в 67-ю московскую больницу, пошел к нашей героине. Спустя сорок дней, пройдя курс у Джуны, он явился к районному проктологу доктору Ю.И. Барону, и тот после осмотра диагностированной прежде патологии не обнаружил, заявив при этом: «Самоизлечения при подобных свищах практически не бывает».

Не буду больше цитировать отзывы, которые появились у Джуны в те далекие дни, когда она появилась в Москве, полная веры и надежды. Хотя жила на чужой квартире, страшно уставала, хмурой и подавленной я ее не видел. Лучше всех, по-моему, нарисовал портрет Джуны тех дней Роберт Рождественский.

У Джуны целебные руки,
Ей свойство такое дано,
Хотя, по законам науки,
Подобного быть не должно...
Как черный взлетающий лебедь,
Невидимой силы полна,
Протяжными пальцами лепит
Чужое здоровье она.
Себя величаво швыряет
И руки вздымает светло.

Как будто стекло протирает,
Покрытое болью стекло...
Не верю! Застыли мгновенья.
Не верю! Распахнута дверь.
Но боль пропадает... Не верю!
Ну что ж, если можешь, не верь!
Нахохлены Джунины плечи,
Топорщится звездная нить.
Не верить — и проще и легче,
Чем вдуматься и объяснить...
А что, если эта способность,
А что, если это рука
Природой как сущность и совесть
Протянута нам сквозь века?..
Врачует усталая Джуна,
Ладонью в пространстве скользит...
В квартире и тесно и шумно.
За окнами день голосит.
Деревья листву обретают,
Костры на бульварах горят...
А Джунины руки витают
И ведают то, что творят.

Эти стихи из-за имени Джуна ни одна редакция журнала не печатала. И публикация моя не появлялась. Спустя месяц мне сообщили долгожданную весть, скоро «все «пройдет»». Джуна тогда жила за городом у знакомых. Квартиру у метро «Аэропорт» ей пришлось освободить, другой пока не было.

На следующий день я проснулся от раннего телефонного звонка: в трубке раздавался ликующий голос Эдуарда Наумова, который меня привел в дом на улице Усиевича. Значит, состоялось то, во что я перестал верить.

16 августа 1980 года Джуна стала знаменитой.

Поскольку это выступление газеты сыграло большую роль в последующих событиях, приведу его полностью.

«НА ПРОГУЛКУ В БИОПОЛЕ?

Репортаж о встрече с человеком, обладающим не разгаданным пока даром природы.

Позвольте представить молодую женщину, которую близкие зовут одним именем — Джуна. Она хорошо известна в Тбилиси, где проживает постоянно с мужем, малышом и многими другими родственниками. Сначала они, потом их знакомые, затем знакомые знакомых узнали о ее необыкновенных способностях. Эти способности демонстрировались, в частности, в Тбилиси на недавно прошедшем международном симпозиуме по бессознательному, показывались в редакциях московских журналов, но написать о ней пока что никто не смог.... Но самое главное то, что Джуна много лет работает в разных медицинских учреждениях и помогает врачам: на ее счету множество исцеленных людей с разными диагнозами, людей и всем известных, и совсем не знаменитых. Джуна — Е.Ю. Давиташвили — работает самоотверженно, до изнеможения, порой без выходных дней и отпусков.

В отличие от знахарей, она не находится в конфликте с официальной медициной, а, наоборот, живет в полной гармонии с нею: закончила медицинское училище.

Джуна поэтому не выдумывает доморощенных терминов, говорит на том же языке, что и любой медик. И сама лечится, как все: редко, но обращается к врачам, скажем, когда болят зубы.

Естественно, что маленькая девочка, родившаяся на Кубани (она из семьи ассирийцев, ветрами истории заброшенной в эти края), как все ее сверстники, ходила в русскую школу, играла с мальчишками и девчонками, любила математику и физику, научно-фантастические повести. Но родители стали замечать за ней некоторые странности: она видела над всеми цветами, над всеми деревьями радужное свечение, ореол. Ей слышался не только шум листьев на ветру, но и другие звуки, точно каждое дерево было оркестром, а цветок — певцом. И над людьми она видела сияние.

Когда в зале собирается много народу, ей кажется, что над толпой висит радуга. Если взглянуть на снимок Джуны, сделанный обычным фотоаппаратом на черно-белой пленке, то видишь, как руки излучают свет, а над головой тоже свечение. Снимок этот сделал фотокорреспондент журнала «Огонек» Эдуард Этингер. Фото не публиковалось. Проявив в лаборатории пленку и отпечатав снимок, он неожиданно увидел на нем интенсивное свечение над головой и над пальцами рук Джуны. Она подняла их и энергичным жестом как бы отгоняла от себя фотографа, сделавшего в тот день много ее снимков. Но только на одном из них в последний момент зафиксировано свечение.

Как мне рассказывал Эдуард Этингер, увидев столь необычное, он поспешил к Джуне, зарядив аппарат цветной пленкой в надежде, что удастся еще раз получить уникальный снимок: ему хотелось зафиксировать ауру в цвете. Но такой снимок ему сделать не удалось. По-видимому, выброс энергии происходит не постоянно, а только в минуты сильного нервного напряжения. У Джуны есть несколько черно-белых фотографий, где также удалось случайно заснять свечение над головой и от ладоней.

У меня нет в руках фотоаппарата, чтобы сделать еще один такой снимок, только ручка и блокнот. Но есть в комнате, где мы беседуем, много цветов, самых красивых и прекрасных, которые приносят ей в знак благодарности. Тонкая Джуна выглядит примой-балериной, осыпаемой цветами поклонников. Но такой она кажется недолго. Встав с дивана, где, как ребенок, удобно устроилась, поджав ноги, подходит к букету роз и говорит:

— Вы чувствуете: они сейчас не пахнут.

Действительно, запаха нет, хотя букет огромный.

— А вот теперь смотрите...

На снимке, сделанном обычным фотоаппаратом,
видно свечение вокруг рук и головы Джуны

Джуна, склонившись над розами, стала делать руками движения, похожие на те, что производят гипнотизеры — пассы, как будто гладя цветы.

Хотите верьте, хотите нет. Сначала начал струиться запах роз, точно Джуна открыла флакон духов. Потом то на одном цветке, то на другом чуть-чуть, но заметно стали расходиться лепестки, словно они раскрывали тесно сжатые уста... Джуна в черном сарафане, с черными распущенными волосами стояла в этот миг над розами, как воспетая Куприным Олеся...

(Эпизод с цветами, поскольку речь в нем шла не о лечении болезней, казался мне наиболее безвредным, поэтому я уделил ему такое внимание, хотя мог уже тогда рассказать о случаях излечения многих болезней, удостоверяемых справками врачей. В дальнейшем Джуна не демонстрировала при мне свою власть над цветами, хотя ими уставлены комнаты ее квартиры. Их приносят ей, как и прежде, каждый день.)

Довольная произведенным эффектом, Джуна заняла опять привычную позу в углу дивана и поставила перед собой пустую картонную коробку из-под сигарет. Положила на нее длинные пальцы и.... приподняла коробку.

— Попробуйте, должно получиться, я вижу у вас сильное биологическое поле, — предлагает она мне. Попробовал, но, конечно, не вышло. От волнения пальцы вспотели, пачка на мгновение прилипла. Но у Джуны пальцы сухие. И коробок поднимался высоко — на метр...

Как человек, много лет занимающийся своим делом, Джуна имеет теорию «биологического поля», которое есть у всех, но у нее оно сильнее. И это поле, вступая в контакт с полем больного, усиливает его, приносит исцеление от некоторых недугов.

Джуна одно время работала в больнице массажисткой, но не массировала, как обычно, а только касалась руками больного.

(Здесь точнее было бы сказать «не касаясь», хотя иногда она кладет руку на больное место, когда лечит отложение солей на затылке. Обхватив голову двумя руками, Джуна, поворачивая ее резко сначала в одном, потом в другом направлении, точно хочет свернуть шею, достигает при этом эффекта: после такой процедуры боль у многих исчезает.)

Беседовать с Джуной нелегко. Кажется, что она видит тебя большими черными

глазами, чуть раскосыми, насквозь. Между прочим, она вдруг поинтересовалась — не менял ли я профессии. Действительно, менял.

(Этот эпизод относится к области телепатии, предвидению будущего и узнаванию прошлого. Иногда Джуна поразительно «угадывает», где находится нужный ей человек.)

Она много читала и художественных произведений, и философских. Особенно ей нравятся сочинения о бесконечности природы и материи, ей хочется написать на эту тему. Но где взять время? В Москве даже в Большой не успевает сходить. Живопись и музыку Джуна воспринимает страстно. Любит Шопена и Баха, подолгу может стоять у полотен больших мастеров, при этом так вживается в картину, что ей кажется, будто она находится среди изображенных лиц, подмечает мельчайшие детали их одежды, характера. Ей кажется, что она знает их давно и может рассказать о них многое. Да, любит стихи Пушкина и Есенина...

Вот так, сидим друг против друга часа два, и все это время я записываю, что она говорит о своей жизни. А хочется увидеть другое — нечто такое, как с розами, но еще более поразительное. И хотя я не говорю об этом вслух, Джуна, конечно, понимает мое состояние. Без всякой просьбы говорит, поводя перед моим лицом раскрытой ладонью руки:

— Над вашей головой я вижу желтый и голубой цвета. У разных людей они разные.

И еще добавила Джуна:

— У вас, должно быть, болит голова...

Это тоже было чистейшей правдой, потому что перед нашей встречей я долго не мог заснуть, а встать пришлось рано.

Кажется, я дождался, чего хотел. Подойдя ко мне, она легонько провела руками, погладив меня по голове, как маленького мальчика. Точно повеяло прохладой. И боль улетучилась, унесенная этим ветерком. Так бывает, когда входишь в лес.

(Этот-то эпизод вызвал лавину писем: читатели сделали правильный вывод, что если проходит головная боль, то могут исчезнуть и другие боли.)

Вот на этом явлении мы и закончили встречу. Джуна спешила в московскую поликлинику, где ее ждали пациенты. Назвать адрес Джуны невозможно, но я не скажу уместной здесь фразы, что больных много, а Джуна одна. К счастью, она не одна, хотя столь сильно «биополе» проявляется только у нее.

Есть у нас в стране и другие, как говорят специалисты, «экстрасенсы», и в Европе они известны. В свое время журналисты рассказывали о Розе Кулешовой, обладавшей «кожным зрением». Прочитав о ней, другая женщина — Нинель Кулагина — решилась также показаться людям. Я писал двенадцать лет тому назад о ней. Вместе с Э. Наумовым, известным собирателем информации о феноменах, мы организовали приезд Кулагиной с мужем в Москву, три дня исследовали ее на кафедре, руководимой Р. В. Хохловым, будущим ректором МГУ; здравствовавший тогда ректор И. Г. Петровский постоянно звонил на кафедру, спрашивая: «Ну как, не шарлатанство ли все это?». Оказалось, что нет. Вот я и надеюсь, что в каком-нибудь далеком селе или совсем рядом, в Москве, объявится еще один феномен с другим именем. А они очень нужны людям и науке.

Еще бы хотелось, чтобы этой публикацией «Комсомольская правда» поблагодарила Джуну за все, что она успела сделать для людей. Рассказывая о разных случаях из своей практики, она говорит: «Работала я с такой-то болезнью... Работала с такой...». Хочется сказать большое спасибо самоотверженному работнику — Джуне...

И, наконец, если говорить по-государственному — а только так и можно говорить, когда речь заходит о таких уникальных явлениях, как Джуна, — нужно создать современный специализированный научный центр, где бы всесторонне занимались изучением «биополя», которое производят пока только немногие. Ведь поскольку это «поле» есть в природе, его, наверное, можно смоделировать искусственным путем... А тогда мы получим долгожданное «лекарство» для всех».

Публикацию подтверждал академик Юрий Борисович Кобзарев, призывая исследовать такие феномены как Джуна и Нинель Кулагина .

* * *

Через несколько дней Джуна шла по длинному коридору здания на улице «Правды» через людской коридор. Она направлялась в Голубой зал, где по традиции проходят встречи с почетными гостями. То был триумф, счастливый день в ее жизни, за который ей вскоре пришлось расплачиваться дорогой ценой.

Говорила она в напряженной тишине. Я впервые слышал, как она выступает перед большой аудиторией. Хотя по-русски она изъясняется с акцентом — ведь жила в детстве в селе, где говорят на ассирийском языке, — шероховатости речи придают ее словам особую прелесть.

Самим интересным показался мне рассказ о том, как пришлось доказывать свою силу в операционной. Ей предложили приостановить кровотечение, зарубцевать шов. От исхода этого воздействия зависела тогда судьба Джуны. Она очень волновалась, когда рассказывала об этом случае. Есть, кстати, документ, удостоверяющий реальность ее слов. Подписал его заслуженный врач Грузинской СССР, кандидат медицинских наук, акушер-гинеколог Тбилисской клинической железнодорожной больницы имени академика Пипия С.М. Шамликашвили. Цитирую:

«...Джуну пригласили присутствовать при операции по поводу удаления фибромиомы матки в гинекологическом отделении нашей больницы. После ушивания брюшины и апоневроза к больной подошла Джуна и пассами, не прикасаясь к ране, приступила к затягиванию разреза оперированной.

Эпителизация раны наступила через пятнадцать минут, образовался ровный косметический рубец.

Послеоперационный период прошел без осложнений.

Больная выписалась на десятый день в хорошем состоянии.

К очень большому сожалению данный случай не был зафиксирован кинокамерой».

Могу успокоить уважаемого врача. Этот документальный фильм все равно бы не переубедил его коллег, да и вряд бы его стали демонстрировать.

В этом отчете рассказывается, что по методике Джуны в больнице проведен большой объем экспериментов с группами больных с различными заболеваниями, подвергавшихся воздействию Джуны, и с контрольными группами больных с теми же диагнозами, но принимающими лечение без вмешательства Джуны.

«Результаты оказались ошеломляюще впечатлительны (сохраняю выражение документа. — *Л. К.*). Но сила инерции, скептицизм и психологический барьер были настолько сильны среди медиков в то время, что они отказа-

Выступление Джуны в Голубом зале редакции «Комсомольской правды»

лись воспринимать очевидные результаты вмешательства в ход болезни».

Вот о таких фактах Джуна могла поведать в Голубом зале, щедро одаривая всех автографами и фотографиями, как заправская кинозвезда.

А через несколько дней счастливую Джуну, которой казалось — вот-вот сбудется ее мечта и она получит московскую клинику для опытов и работы с врачами, ожидало очередное испытание.

Влиятельная в СССР «Литературная газета» опубликовала негативный материал из Тбилиси, инспирированный из Москвы. Публикация была с размахом — почти на полосу. Тысяча газетных строк. В свое время в таком духе писали о Розе Кулешовой, читавшей тексты с закрытыми глазами, о Нинель Кулагиной, двигавшей предметы и стрелки компаса. Они объявлялись лже-феноменами. Дошла очередь до Джуны. Тысяча строк доказывала: никакого феномена нет. Есть «околомедицинский миф».

Как же так? Ведь Джуна работала в тбилисской больнице под наблюдением врачей, как же заключение доктора-акушера?

Вот что я прочел:

«Живет в Тбилиси Евгения Давиташвили или, как ее называют, Джуна, которая, как утверждают, способна, даже не вступая в прямой контакт с человеком, одними только движениями рук определить, здоров он или болен, и чем именно. Более того, некоторые уверяют, что она не только диагностирует болезнь, но и излечивает ее, называются имена людей, исцеленных ею от радикулита и гипертонии, паркинсонизма и простатита, головных болей и язвы...».

Никому из тех в Москве, кто готовил эту «сенсацию», не захотелось даже на Джуну взглянуть, посмотреть, что и как она делает. Ее исцеления, и это любопытно, не опровергались, не оспаривались, но выдавались за обычный эффект внушения.

Профессор Л. Чарквиани, онколог, провел опыт в республиканском онкологическом центре. В нем подобрали семь больных женщин, страдающих эрозией. Каждую из них Джуна лечила пятнадцать-двадцать раз. И как доложил в газете профессор, «все мы пришли к выводу, что объективных показаний улучшения состояния больных не зафиксировано, хотя у некоторых из них наблюдалась тенденция к зарубцеванию пораженных тканей». Но это результат не воздействия Джуны, а хорошего ухода и личной гигиены. На естественный сам собой напрашивающийся вопрос: «Был ли поставлен контрольный опыт?» — последовал ответ:

— Необходимости в этом комиссия не нашла!

Вот так комиссия, вот так ученые, которые сочли возможным обойтись без контрольного эксперимента! Представители академической медицины нарушили элементарные условия любого опыта. В отличие от них, это сделали в обычной больнице Тбилиси, где работала Джуна. Там, как мы помним, подбирали группы контрольных больных. Но результат лечения в этой больнице не был принят во внимание комиссией Минздрава республики, проводившей «опыт» в онкологическом центре.

И вот на основе такого «опыта» делался категорический вывод — «околомедицинский миф».

Опровергали и заживление трофической язвы. Оказывается, «этот факт основан на способности атмосферного воздуха стимулировать испарение экстудата с поверхностей, в том числе поверхностей язвы». А происходит это при определенных условиях — влажности и температуры окружающей среды, причем хирурги, как сообщалось, постоянно наблюдают подобные самозаживления язв.

Так перечеркивалась вся работа Джуны. Но не такой она человек, чтобы остановиться на полдороге, пасть духом, отчаяться. Это, могу сказать без преувеличения, — воин. И бойцовскими качествами она пленила меня. Я понял: на арену схватки вышел феноменальный человек.

У нее не опускались руки, как у некоторых экстрасенсов, которые теряли силу, попадая во враждебную обстановку, давая козырь противникам, чтобы говорить:

— Вот видите, в строгих условиях настоящего эксперимента ничего они показать не могут.

Подразумевая под строгими условиями гробовую тишину в лаборатории и откровенную враждебность в отношениях, исключающих элементарные приветствия: мол, чего мы будем здороваться с шарлатанами и фокусниками!

Джуна готова была бросить все — дом, сына, и мчаться на край Москвы, чтобы ставить новые опыты. Ей удалось провести эксперимент в лаборатории Института рефлексотерапии. Это был неофициальный опыт, проводимый без разрешения и указания Министерства здравоохранения СССР, Академии медицинских наук, без письменного разрешения директора. Но разве чистота опытов умаляется этим обстоятельством, разве факт перестает существовать?

Впервые Джуна получила возможность работать под контролем термовизора и видеть на его экране, как нагревается под ее воздействием больная рука, потом нога. В результате посещения института появился «краткий отчет о клинических проявлениях феномена Давиташвили».

Не прошло недели, как было заявлено, что «никаких достоверных данных» о ее целительстве нет, а она уже добыла новые достоверные данные, в дополнение к старым.

«2 сентября 1980 года около 19 часов вечера в помещении, где, кроме пациента и индуктора *(то есть Джуны.— Л. К.)*, находилось еще 8-10 человек, была произведена термография и регистрация с экрана дисплея на обратимую фотопленку правой руки испытуемого З-ва, 60 лет, страдающего хроническим плечелопаточным синдромом...»

Цитирую протокол «Краткого отчета». Время начала опыта показывает: его начали, когда институт опустел, прием больных и работа сотрудников окончились. Все, кто собрался в тот вечер в лаборатории, с нетерпением ждали результата. Был получен он быстро, не прошло и пятнадцати минут...

Джуну подвели к японскому термовизору. Как определено в отчете, он имел «чувствительность в инфракрасном диапазоне 1-15 микрон с максимумом около 9 микрон». Термовизор работал в паре с видеомагнитофоном, поэтому полученную информацию можно было обрабатывать на электронно-вычислительной машине. Цель поставили простую — зарегистрировать тепловые инфракрасные поля, тепловое излучение Джуны, если оно действительно существует, и его воздействие на тепловое поле пациента.

Больной, обозначенный как «З-ов, 60 лет», поднес правую руку к термовизору, после чего была сделана термограмма — условная фотография руки в инфракрасных лучах. На первом снимке правая кисть не видна, потому что у нее температура была такая же, как у окружающей среды, а не 36,6 градуса, как у здоровых людей. Дело в том, что «З-ов, 60 лет» перенес ранение, и кисть ему не повиновалась, будучи поражена. Поэтому и температура ее — такая же, как «окружающей среды», намного ниже нормы.

Ну, а после того, как снимок сделали, выступила Джуна. Правой рукой она, по выражению наблюдателей, «проводила пассы вокруг руки пациента». Он через несколько минут стал ощущать нечто необыкновенное: сначала появилась тяжесть кисти, потом эта тяжесть перешла на всю руку, отчего стало даже больно.

«Пальцы кисти испытуемого не могли сжаться в кулак из-за появления ощущений отталкивания, как у однополюсных магнитов». Не прошло и десяти минут, как неприятные ощущения прошли, но осталась теплота, которая нарастала. После окончания сеанса теплота прошла. Во время опыта с интервалом в 15 минут сделали несколько снимков-термограмм.

На них заметно, как под влиянием Джуны нарастает температура и становится видна сама до этого невидимая кисть. Сначала наполняются кровью мелкие сосуды, потом и крупные. Несмотря на рубцы, площадь невидимой холодной зоны уменьшалась. К руке возвращалась кровь, возвращалась жизнь. Кисть нагрелась за 45 минут на 3 градуса! В то же время рука Джуны остыла! Хотя, казалось бы, должно было бы случиться обратное — от работы, интенсивных движений, как от зарядки, эта рука должна была бы нагреться...

Затем Джуне дали другого больного, 54 лет, с пораженными ногами. Диагноз — эндартериит. И с ним произошло нечто подобное.

Сухой отчет не может, конечно, передать атмосферу, которая царила в лаборатории. Собрались у экрана не только энтузиасты, но и те, кто жаждал разоблачения, пришел посмотреть, как развенчают Джуну. А вместо провала — такой неожиданный поворот. Кто-то даже воскликнул: «Эврика!», когда на экране термовизора начали меняться цвета: самый холодный синий цвет превращался в зеленый, зеленый становился красным, менялись и оттенки цветов. Оказался среди собравшихся сотрудник, владевший методом аутогенной тренировки. Воздействовала Джуна на него с таким же успехом, хотя последний мысленно сопротивлялся, «охлаждал» сам себя.

Заканчивается, однако, отчет грустно: «К большому сожалению, по целому ряду причин описанные выше исследования прерваны, поэтому делать какие-либо выводы преждевременно. Нужны скрупулезные многочисленные исследования на современной прецизионной автоматизированной аппаратуре».

Что за причины помешали проведению опыта? Может быть, Джуна закапризничала, не захотела больше встречаться с энтузиастами, поставила какие-то особые условия, потребовала вознаграждений, публикаций?

Надев лучшее платье, украшения, она словно на праздник поехала на следующий день, как говорила, к «моим

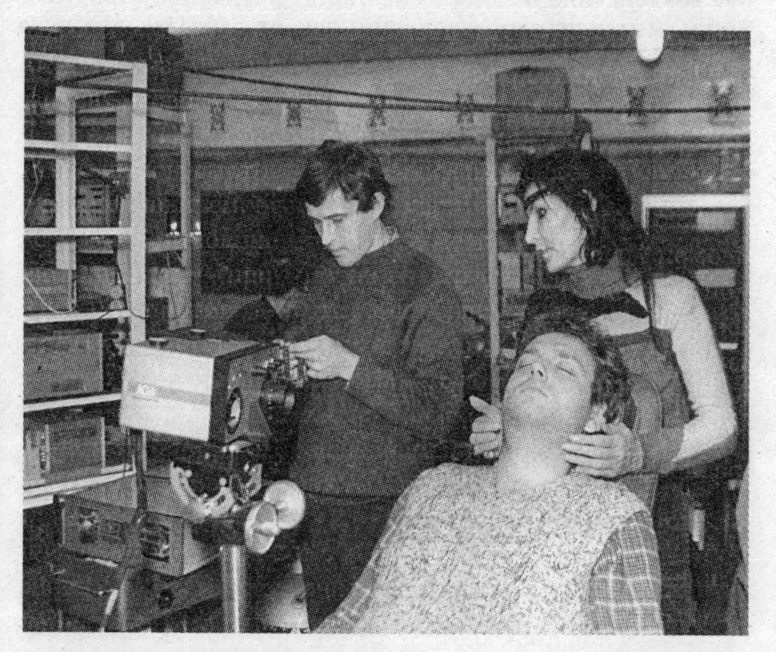

В лаборатории Института радиоэлектроники АН СССР впервые исследовались «физические поля биологических объектов»

ученым». Никто ее больше не встречал. «Все уехали на субботник», — доложил вахтер. Институт опустел.

Это случилось в том самом институте, основатели которого сами переживали непризнание. Им говорили: методы иглоукалывания научно не обоснованы, не изучены, воздействие иглами — результат внушения. Говорили примерно то же, что Джуне. Кому как не этому институту помочь в трудную минуту, установить истину, сделать открытие, изучить, как влияет тепло Джуны на точки иглоукалывания? Но ничего не произошло. Встреченный мною спустя год директор института профессор Рубен Дуринян вспоминал, как министр здравоохранения Петровский ставил ему палки в колеса, когда тот ратовал за иглотерапию. Спрашиваю директора о Джуне

— Да, была у нас раз, на второй раз не захотела приехать, да и ничего вообще не показала.

— Как же отчет об успешном опыте в институте?

— Я такой отчет не подписывал.

Ни подписи директора, ни подписи заместителя директора нет. Нет вообще никакой подписи. Может быть, и опыта не проводили, а кто-то сочинил вымышленный отчет, сфабриковал снимки?

Я обратился за разъяснениями напрямую к упомянутому в отчете «З-ову, 60 лет», который оказался заместителем директора института, известным специалистом в области иглоукалывания.

— Да, была у нас, но ничего не показала. Говорят, после этого попала в больницу...

— А как же фотография руки «З-ова, 60 лет»?

— Да, это я. В финскую кампанию получил ранение. Температуру руки она тогда изменила. Улучшилось кровоснабжение...

И, не дожидаясь дальнейших моих вопросов, дает такую трактовку факта:

— Пришла Джуна в нейлоновых кофтах, нейлоновом платье, вся в нейлоне. Я тогда почувствовал электростатическое воздействие, мы все попали словно в электростатическую камеру. Народу набралось много.

Не знаю, как «З-ову, 60 лет», а мне стало не по себе. Даже редкий шанс — вернуть спустя сорок лет жизнь собственной раненой руке — и тот человек упустил. Насколько нужно быть предубежденным, страшиться истины, администрации, чтобы черное называть белым, выдумывать про электростатические заряды и нейлоновые одеяния, которые Джуна, к слову сказать, никогда не носит.

Предлагал я директору Института рефлексотерапии провести эксперименты с Джуной и дать квалифицированное заключение: нет так нет. Но если да — так да.

— Ни в коем случае, — решительно ответил директор Института рефлексотерапии.

— Не дадим мы отрицательного отзыва. Не дадим и положительного: все должно быть материалистически обоснованно. Нужно найти силу, отвечающую за ее воздействие. Коли нет такой силы — ничего, значит, и нет. Пока медицина не разберется в явлении — его нельзя использовать на людях.

— Но ведь чтобы разобраться — нужно испытывать?

— Пусть сначала этим займутся физики. Найдут, вот тогда мы начнем вслед за ними.

* * *

Но физики пока не вступали в игру. Вели ее медики, и не всегда в пользу Джуны. В том же сентябре 1980 года Джуна, сев в машину, мчалась на окраину Москвы в другой институт — неврологии АМН СССР.

В свое время институт принимал Розу Кулешову. И «разоблачил» ее «кожное зрение».

Принимали гостью мило, беседовали, поили чаем. Возвращалась домой окрыленная: рассказывала, как пригласили в отделение реанимации, как воздействовала на полуживого, как стрелки приборов реагировали на ее руки...

Вскоре визиты закончились, Джуне не выдали никаких протоколов. Простились сдержанно. Институт не сделал никаких сообщений, и опровержений не последовало.

Как журналист, пытался узнать, что же происходило...

— Что делала Джуна в институте?

Отвечал мне профессор Верещагин.

— Показывала диагностические приемы. Что-то находила...

— А что находила, совпадали ли ее диагнозы с вашими?

— Этого я сказать не могу... У нас состоялось подробное знакомство. Джуна —человек одержимый, искренне верит в свои силы. Нашим больным она говорила — у вас неполадки, вы принимали антибиотики, вот от них последствия. А кто их не принимал... Я думаю, нам она помочь ничем не сможет...

Так, с диагностированием все ясно.

— Как проходило лечение?

— Такой проверки не проводили. Нужно применять двойной метод, подбирать двух одинаковых больных. Вообще, как индикатор человек — дело ненадежное.

И неожиданно для меня сам вспомнил о Розе Кулешовой.

— Она читала у нас журнал с закрытыми глазами. А все потому, что у нее глазницы большие. Все это фокусы. Наш покойный директор, когда Роза предложила ему посмотреть, как будет читать, сидя на журнале, возмутился и приказал ее выгнать из института. Это его оскорбило. Мы Розу вывели на чистую воду. У нее была навязчивая идея.

В январе 2015 года, когда я редактировал эти строчки, по Первому каналу показали трех детей с Урала. Они с плотно закрытыми глазами безошибочно определяли цвет покрашенных листов, что могла их землячка Роза Кулешова. Это происходило в студии, где выступал всемирно известный феномен Лиор Сушард из Израиля, демонстрировал телекинез и другие необъяснимые явления.

— Может быть, и у Джуны навязчивая идея?

— Шарлатанства мы не видели.

— А что видели? — допытывался я.

— Обычное, универсальное явление. Искренне хотела показать нам свой дар. Но не больше.

Институт неврологии был первым московским медицинским научным центром, получившим задание разобраться с «эффектом Джуны». Здесь даже образовали комиссию, чтобы выяснить истину. Почему так быстро прекратились исследования? Звоню руководителю комиссии, им оказался все тот же профессор Верещагин. В стенах института все имелось для глубоких исследований: и сотрудники, и приборы, и больные.

— Николай Викторович, — говорю, — поймите меня по-человечески, ведь дело здесь не только в Джуне. Три московские поликлиники дали положительные отзывы, что она диагностировала и лечила. А в вашем институте неврологи ничего не увидели, ни лечения, ни диагностики?

— Нет, она не диагностирует. У нее набор слов, говорит, что покалывает в ее пальцах, указывает на очаг, конкретно не говорит, что болит. Но что есть очаг, мы и без нее знаем. Нет, диагноз ставить она не может...

— Ну, а есть ли вообще здесь предмет для изучения?

— Не знаю, ответил профессор. Нужны приборы, нужна методика. Это дело физиков. Джуна говорит, что хочет отдать себя людям. Мы посмотрели, как она это хочет сделать. Знакомство состоялось. Мы узнали, что она за личность.

— Может быть, она, как бы это сказать...

Профессор оборвал меня:

— Ну, этого бы я вам никогда на сказал. Но могу сказать, нет оснований думать, что она обладает специальным воздействием. Читали ли вы книжку профессора Снежневского «Медицинский оккультивизм»?

— А что, Джуна из этого ряда?

Не «разоблачили» ли здесь Джуну, как некогда Розу Кулешову, умершую благодаря таким ученым с ярлыком шарлатанки?

Ведя нелегкие диалоги с деятелями медицины, я пытался понять, почему ученые, специалисты перестают верить глазам своим

Помог мне разобраться в этом все тот же профессор Верещагин:

— Вот вы пишете о «прогулке в биополе», телекинезе, значит, считаете: мысль обладает энергией, а умственной энергии нет. Мои убеждения не позволяют так считать.

И профессор сослался на всем известные произведения по философии, по которым и я сдавал экзамены в университете. Вот, оказывается, в чем дело! Азбучная истина — мысль идеальна, усвоенная начетнически, мешает прочесть новую страницу в книге познания природы. Воздействие феноменов сводилось к «умственной энергии». Но кто сказал, что энергия Джуны или Кулагиной «умственная»?

Когда я, обеспокоенный сложившейся ситуацией, обратился к Николаю Константиновичу Байбакову, — а знакомство с Джуной в институте неврологии состоялось по настоянию посетивших ее сотрудников ЦК партии, — он меня успокоил: «Не волнуйтесь, мы проведем эксперименты на самом высшем уровне, какой только возможен».

Другая после таких поездок «для знакомства» долго бы не помышляла об открытиях в науке. Другая, но не Джуна.

Через несколько дней застаю ее дома в полном изнеможении.

— Где была?

— У Морозова...

— Кто такой Морозов?

— Георгий Васильевич, хороший человек, директор института Сербского...

Встреча во дворе дома с желающими прикоснуться к чуду

Я похолодел: у этого учреждения за забором с колючей проволокой в переулке Пречистенки была дурная слава, в нем обрекали диссидентов на насильственное лечение.

— Что же ты там делала?!

— А что — пришла. Надела белый халат. Прошла в темную комнату, где лежал больной с датчиками. И стала работать.

— Ну, и что?

— Приборы показали мое воздействие! Так заходила в пять комнат. Все они были без света. Чтобы больные меня не видели, чтобы я не воздействовала своим видом... Мне говорили: не ходи туда, Джуна, это знаешь, какой институт, там лежат преступники. Туда можно войти, а обратно не выйти. А мне что? Я везде пойду, лишь бы мне открывали двери. Обратно я всегда вернусь...

Подумать только, другие «экстрасенсы» оказывались в стенах подобных учреждений не по своей воле; многие врачи убеждены — им место только там, у них маниакально-депрессивный психоз и прочие недуги, которые лечат принудительно. А Джуна отправилась к психиатрам, да не куда-нибудь, а в стены института, где исследуются люди, находящиеся под следствием, преступники...

Дозвонился до «хорошего человека», Георгия Морозова, действительного члена АМН СССР, директора Института общей и судебной медицины имени профессора В. П. Сербского.

Я начал было издалека, что вот есть такая Джуна, познакомились с ней недавно в Институте неврологии, а теперь вот побывала в вашем институте, где якобы воздействовала на больных. И меня очень волнует вопрос: «Феномен она или нет?».

Академик Морозов спокойно выслушал меня и ответил:

— Да, мы начали с Джуной работу, но не закончили: я ушел в отпуск. Надо бы более основательно ею заняться.

— Есть ли предмет изучения?

— Да. Что-то есть у Джуны, но что — нужно разобраться... Проходить мимо таких явлений мы не можем, надо все знать...

Эта информация придала мне силы и уверенности.

Джуна рассказала мне еще некоторые подробности о своем незабываемом посещении института.

Поехала она туда, надев нарядное белое платье. Но его можно было переодеть на другую сторону, тогда оно становилось алым.

Так вот, приехала Джуна в белом, как у невесты, платье. Встретила врачей в белых халатах, а находился среди них известный психиатр Снежневский, автор упомянутой книги о медицинском оккультизме, и другие светила психиатрии. Повели в боксы.

Зайдя в один из них, она установила, что, кроме обычных недугов, у больного на голове рана величиной со спичечную коробку.

— Каким предметом нанесена рана? — поразил Джуну вопросом один из присутствующих, чем вывел ее из себя:

— Что я — следователь? Мало разве того, что говорю!

Когда испытание благополучно закончилось, все сели пить чай.

Джуна на минуту отлучилась, переодела свое двустороннее платье и, к изумлению врачей, предстала в пурпурном платье триумфатора...

* * *

Небольшой праздник для Джуны наступил. В «Комсомольской правде» появилось редакционное выступление: «Феномен изучается». В нем сообщалось, что с мая по август 1980 года она приняла участие в трех экспериментах в медицинских учреждениях Москвы, которые дали интересные результаты и требуют дальнейшего изучения...

Имелись в виду три поликлиники. Нужны были более веские аргументы, чтобы повторно выступить так, чтобы привлечь внимание политического руководства. По заданию редакции в Тбилиси выехал специальный корреспондент и привез новые отзывы. Среди них оказался поразительный документ. Подписал его не кто иной, как заместитель министра здравоохранения Грузии Шота Ломидзе. Его история могла бы стать сюжетом для рассказа. К Джуне заместитель министра, имея возможность получить самую высококвалифицированную медицинскую помощь, обратился потому, что эта помощь не помогла. У него повредился мениск: «Гипс, костыли, уже и жизни был не рад».

Пришел к Джуне инкогнито, что было излишним. Она ни у кого никогда не спрашивает: кто, где и кем работает. Приходил Шота Александрович инкогнито неоднократно. «Наблюдал Джуну в разное время суток — утром, днем, вечером. К ней приходило много людей. Всех она лечила, не обуславливая никакой платы».

Порадовало его, что всем рекомендовала продолжать ходить к своим врачам, выполнять их назначения. Заметил, что работает, не щадя себя, без всякого графика, перерыва на обед. «Работает, как проклятая».

— Чего же она добивается? — задает вопрос заместитель министра здравоохранения.

— И это не секрет. Она хочет научить врачей тому, что делает сама.

Чем кончилось лечение заместителя министра?

На этот вопрос отвечает:

— После седьмого сеанса выбросил костыли. Обошелся без операции. Сейчас совсем здоров.

Заместитель министра с грустью констатировал, что знает многих известных ученых, которые исцелились у Джуны, но скрывают это и ничем ей не помогли, даже не дали клочка бумаги с отзывом. У Шоты Ломидзе хватило мужества высказать свое личное мнение, прямо противоположное тому, что говорили его коллеги.

* * *

Джуне удалось за год в Москве привлечь к себе всеобщее внимание не только больных. Ее с радостью посещали, чтобы просто пообщаться, те, кого не надо было убеждать в ее исключительности. К названным именам артистов и поэтов добавлю Андрея Тарковского, солистов Большого театра Юрия Гуляева и Галину Калинину, диктора Центрального телевидения Светлану Моргунову...

В свою очередь, она посещала дома самых высокопоставленных лиц в СССР. Совершала то, что не могли Нинель Кулагина и Роза Кулешова. Я сопровождал ее в переулок у Пречистенки, где живут патриархи Русской православной церкви.

Ждал ее полчаса в машине во дворе усадьбы. Из покоев патриарха Пимена вышла сияющая с подарком — золотым блюдечком, миниатюрной чашечкой и ложечкой. В другой раз увезла отсюда икону святой Евгении... В мае 1981 года принимала дома на улице Викторенко ректора Ленинградской духовной академии и семинарии Владимира Михайловича, владыку Кирилла, будущего патриарха Московского и всея Руси, а в июне гостила по его приглашению в Ленинграде и Комарово. В те дни познакомилась с послом Западной Германии Андриасом Ландрупом. Осенью пригласили в Звездный городок на встречу с космонавтами.

Ездил я с ней на Смоленскую площадь, ее встречали у служебного входа министерства внешней торговли СССР и сопровождали в кабинет заместителя министра Юрия Брежнева, сына Леонида Ильича. Принимал Джуну министр МВД Николай Щелоков.

На улицу Горького она отправлялась в многоэтажный дом, где жил Александров-Агентов, помощник по международным вопросам Генерального секретаря ЦК КПСС.

Но физиков, тех, кто должен был решить ее судьбу, среди ее поклонников пока не видел.

— Чем черт не шутит, — подумал я и позвонил академику Зельдовичу после публикации его выступления на объединенной сессии Академий на страницах «Вестника» АН СССР. Предложил посмотреть на манипуляции Джуны. Лучшего придумать не мог.

— У меня другие дела, мнение свое я высказал, — услышал краткий ответ. — Мнение президента совпадает с моим...

Итог складывался пока малоутешительный, несмотря состоявшуюся дружбу с Николаем Константиновичем, на визиты к патриарху Московскому и всея Руси, помощнику Генерального секретаря. Руководство Академий — против. Министерство здравоохранения СССР — против.

Что делать?

Писать стихи.

Джуна!
Имя звенит, как струна.
Из рук струится волна,
Загадочной силы полна.
Какая ее длина?
Чем измеряться должна?
Новостью страна
Взбудоражена.
Дважды и трижды героев
В споре слышны имена.
Отчего дискуссий война?
Почему неприязни стена
Этим именем порождена?
Будто Джуна всему — измена.
Кем будет она оправдана?
Да, горька цена
Тому, что зовется истина.
Она же в руках ее: «На!»

Будущий патриарх Кирилл — гость Джуны

* * *

В начале этой главы я привел полные оптимизма высказывания академиков Велихова и Гуляева, один из которых «руку приложил» чтобы началось изучение «эффекта Джуны», другой получил валюту и рубли, чтобы создать лабораторию и ответить на вопрос «лечит она Генсека или нет».

Как получилось, что глава партии и государства вдруг сам позвонил по телефону председателю Комитета по науке и дал поручение, которое так добивалась Джуна?

Можно подумать, что это событие произошло потому, что за помощью Генерального секретаря обратился Николай Константинович. Но этого он не сделал по правилам игры в Кремле и на Старой площади, правительстве и ЦК партии. По личному вопросу председатель Госплана не стал бы звонить главе партии и государства, не будучи с ним в дружеских отношениях. Они были давними, но товарищескими, служебными.

Сам Брежнев позвонил неожиданно Байбакову. Почему? На этот вопрос есть ответ в его мемуарах «Сорок лет в правительстве», изданных в 2004 году, когда Николаю Константиновичу было 94 года: «Как-то после сдачи проекта очередного план развития народного хозяйства я решил отдохнуть несколько дней в подмосковном санатории «Сосны». Здесь я встретил Аркадия Райкина и его супругу. Оба они выглядели стариками. Я с трудом их узнал. Аркадий Исаакович сказал мне, что был тяжело болен, пролежал в больнице почти три месяца, а его супруга Рома перенесла инсульт, в результате чего лишилась речи. Врачи так и не смогли помочь. Узнав, что я знаком с Джуной, Райкин попросил меня оказать содействие во встрече с ней, мотивируя тем, что ему известно: Джуна вылечила многих людей. Я обещал помочь.

На следующий день Джуна в сопровождении моего сына Сергея приехала в «Сосны». Я тут же повел ее к Райкиным, а мы с главным врачом дома отдыха зашли в его кабинет и стали беседовать об экстрасенсах, к которым она относилась положительно.

Прошло более 40 минут, но Джуна от Райкина не выходила. Это меня несколько обеспокоило, ведь обычно сеанс с одним пациентом длится от 10 до 15 минут. Я постучал в дверь и вошел в номер. Аркадий Райкин совершенно преобразился. Он выпрямился и казался сантиметров на десять выше, лицо его порозовело. И было радостным. Он сказал, положив руки на грудь: «Я не чувствую своего сердца и готов лететь в космос». Джуна тем временем заканчивал сеанс с Ромой. На протяжении месяца супруги Райкины проходили лечение у Джуны. Аркадий Исакович стал много лучше себя чувствовать, а у его супруги восстановилась речь».

Задолго до этой книги о том, как лечился Аркадий Райкин, я узнал из копии его письма Брежневу, побывав у него дома в сентябре 1980 года. На двух страницах машинописного текста, начинавшегося словами «Меня волнует судьба Евгении Давиташвили» и, по-видимому, не оставившего равнодушном Леонида Ильича, прочел:

«После первого сеанса почувствовал себя значительно легче.

После первого же сеанса! А сеанс продолжался не более 15-20 минут. Я просто не узнавал себя, своего тела. У меня появилось отличное самочувствие. Раньше боль в сердце не покидала меня, а тут исчезла. Я перестал чувствовать сердце...

Вспоминаю первый сеанс. Тяжелели ноги. Потом стало легче, еще легче. Легче было и ногам, и сердцу. Джуна попросила меня вздохнуть глубже. После этого я ощутил нечто необычное. Не было боли, не ныло сердце. Это было невероятно! Это ощущение произвело на меня огромное впечатление. И с каждым сеансом я чувствовал себя лучше и лучше. Джуна провела 13 сеансов. И меня, человека, который ходил на костылях, не узнать. К сожалению, врачи не смогли мне так помочь...

Я благословляю ее. Это прекрасный целитель. То, что она делает, — это удивительно».

До встречи с Джуной артист полагал, что работать больше на сцене не сможет. Но вскоре он опять появился на эстраде. Более того занялся созданием театра в Москве.

Тогда великий артист выздоровел и окреп настолько, что начал выступать с концертами в Москве. Я его увидел в переполненном зале. На сцену Райкин, как в молодости, стремительно выбегал к рампе.

Полный благодарности он попросил Байбакова помочь встретиться с Брежневым, чтобы «рассказать ему о чародейке и помочь ей получить прописку в Москве». То было не в его силах. Мог он только дать хороший совет, что и сделал мудрый Николая Константинович. Продолжу цитировать его мемуары:

«Зная, что Брежнев был болен и не каждый день появляется на работе, я посоветовал Райкину написать письмо на имя Леонида Ильича и обещал передать его послание. На следующий день это письмо при содействии одного из помощников Брежнева, также лечившегося у Джуны, оказалось на столе Генерального секретаря».

Тем помощником был Андрей Александров-Агентов, житель улицы Горького. К нему Джуна приезжала домой, лечила в квартире его и жену. Как видим, и этот деятель, зная проблему, не помог. Ничего Брежневу, по тем же упомянутым правилам двора, о ней не сказал.

— Я отнес письмо в приемную ЦК на Старой площади, — рассказал мне Аркадий Исаакович — как и Александров-Агентов, житель улицы Горького.

С Леонидом Ильичом он знаком с 1941 года. Труппу театра в первый день война застала на гастролях в Днепропетровске, там секретарем обкома партии был Бежнев, не пропускавший концерты Райкина. Он помог артистам срочно вернуться в Ленинград, пришел на вокзал провожать. В дни войны знакомство продолжилось на «Малой земле», где Райкин выступал перед боями. При встречах Брежнев всегда спрашивал, не нужно ли ему чем-то помочь. И помог, когда у Райкина началась конфронтация с властью Ленинграда, получить квартиру на улице Горького, где мы встретились, и бывший кинотеатр в Марьиной Роще…

Ждать ответа Райкину не пришлось. Брежнев сам позвонил и спросил: «Как здоровье?». Аркадий Исаакович ответил:

— Благодаря Джуне — хорошее.

Попросил помочь ей получить жилье в Москве, рассказал о работе в поликлинике Госплана СССР, сослался на благоприятное мнение Н. К. Байбакова.

— Ну, что ж, если она тебе помогла, мы ей поможем, — заключил Брежнев, добавив, что история с кибернетикой и генетикой кое-чему нас научила.

Одним разговором не ограничился. Позвонил Байбакову:

— Коля, что за баба эта Джуна? Ты ее пробовал? — имея в виду лечение. — Что она хочет?

Я ответил, что лечилась моя супруга, — цитирую снова мемуары, — а не я. Рассказал о феноменальных способностях Джуны и предложил ему ознакомиться с целой папкой отзывов ее пациентов. На что Брежнев ответил:

Посылать ничего не надо, а лучше скажи, что требуется для нормальной работы Джуны?

Возьми ее под свое крыло.

Я высказал две просьбы. Первая — прописать Джуну во временно предоставленной квартире. Для этого нужно было позвонить председателю исполкома Моссовета Промыслову, который не разрешал прописку по причине возражения министра здравоохранения СССР Петровского. И вторая — обязать Академию медицинских наук провести исследование метода бесконтактного массажа и дать заключение о целесообразности его применения....

То был второй звонок Брежнева.

«На следующий день Джуна получила разрешение на прописку в Москве, а через пару дней мне позвонил первый заместитель министра здравоохранения С. П. Буренков с просьбой принять его и президента Академии медицинских наук Н. Н. Блохина. Они хотели поговорить о деятельности Джуны Давиташвили».

Стало быть, состоялись переговоры и с председателем исполкома Моссовета, и министром здравоохранения СССР.

Обратите внимание: Байбаков просил Брежнева дать поручение Академии медицинских наук. Но Леонид Ильич этим не ограничился, позвонил председателю Комитета по науке и технике Марчуку.

Только тогда вступила в бой тяжелая артиллерия — Академия наук СССР. Состоялось совещание академиков, решивших дать ответ — лечит она генсека или калечит. Физики стали разворачивать свою технику медленно, но верно, о чем расскажу дальше. Для начали академики с Джуной поехали в Электротехнический институт: я там не был и не знаю, какие опыты провели.

А здесь хочу ответить на вопрос, заданный в начале книги. Лечила ли Джуна Брежнева? Да, встречалась с ним Джуна, и это от всех скрывалось. Страдал Леонид Ильич от наркотических таблеток. В случае такой зависимости болезнь не подвластна ее рукам.

В мемуарах Николай Константинович не написал то, что рассказал в 94 года, когда ничего не нужно было скрывать, журналистке:

— Вот кого Джуна лечила, так это Брежнева. Леонид Ильич как-то попросил меня, чтобы я ее привел к нему.

Приводил Джуну к нему давний друг генерал армии Алексей Епишев, начальник Главного политического управления Советской Армии Военно-морского флота.

С великим артистом Аркадем Райкиным, сыгравшим важную роль в ее судьбе

Об этом я узнал от него, когда встречался с генералом у Джуны в квартире на улице Викторенко. Он лечился у нее в числе первых влиятельных пациентов.

* * *

Что еще тогда порадовало?

Джуна познакомилась с кандидатом медицинских наук Владимиром Вашкевичем, главным врачом Консультативного центра Фрунзенского района Москвы. Он с ведома своего руководства привлекал Джуну для диагностики и лечения. Числилась она в этом центре массажисткой.

Рядом с улицей Горького, недалеко от Белорусского вокзала, в старинном здании расположилась районная поликлиника № 36. На ее базе действовал Консультативный центр. Сюда свыше трех месяцев и являлась на работу Джуна. В течение ноября, декабря 1980 года и января 1981 года эта поликлиника была местом эксперимента. Так длилось до тех пор, пока руководители здравоохранения не положили этому конец.

Я побывал в центре один раз, в последний день работы Джуны.

У комнаты, где принимала Джуна, сидели на стульях несколько успевших перезнакомиться между собой людей. Кроме взрослых, были и дети.

Начали здесь с «простого» — диагностирования. Обычная комната поликлиники. Ширма, кушетка. Но и они не нужны для пациентов, потому что снимать одежду не требовалось и укладываться на кушетку тоже. Прием Джуна вела молча, без выслушивания и прочих процедур, испытанных каждым у врача. О пациентах, когда они являлись, ничего не знала. Находившиеся рядом врачи знали о каждом больном многое. На каждого имелась история болезни, все они находились под наблюдением в поликлинике, где шел эксперимент. За два-три часа проходило несколько десятков человек. Всего прошли курс лечения 102 пациента. Всех их предварительно обследовали.

Последним в прощальный день был десятилетний мальчик, страдавший пороком сердца. Вот что он сказал, а я записал, поскольку особенно дорожу свидетельством детей — ведь они говорят правду:

— Тетя Джуна, — говорил с волнением десятилетний страдалец, — когда я вчера шел к вам, у меня пульс был 110, а когда уходил — 64. И лицо стало румяное. А румяное лицо у меня бывает только по утрам, когда я делаю лечебную гимнастику.

Раскрою знакомую читателям книгу отзывов, где вплетен отчет на бланке «Городской поликлиники № 36 Фрунзенского района». Он охватывает период с 17 ноября по 31 декабря 1980 года. Обратите внимание — прием шел даже в канун Нового года!

За указанный период было принято с целью диагностики 43 человека, предварительно обследованных в различных лечебных учреждениях. Совпадение клинического диагноза и поставленного экстрасенсом Давиташвили составило 97,3%. Необходимо отметить, что при этом у 40,7% больных ею были определены дополнительные (сопутствовавшие) заболевания, что в дальнейшем при поликлиническом обследовании было подтверждено в 86,9%.

Как явствует из справки, в 97 случаях из 100 Джуна называла именно те болезни, которые были определены врачами с помощью лабораторных анализов и приборов.

Разве это не интересный результат?

Этот вывод, касающийся диагностики. Но провели в поликлинике опыт и по лечению «биополем», то есть воздействием Джуны. Цитирую:

«Лечение биополем (коррекция биополя пациента) было проведено 31 больному с различными нозологическими формами, из них была выделена группа больных в количестве 16 человек с функциональными и начальными органическими поражениями нервной и сердечно-сосудистой систем».

В поликлинике сделали фотографии Джуны, которая «массирует» больных. Они, как космонавты, сидят в креслах, обвешанные множеством разных приборов. Датчики укреплены на голове, на руках...

Лечебно-диагностический центр имел обычную поликлиническую аппаратуру. Врачи вели запись состояния больного до контакта с Джуной, несколько раз во время, как они пишут, «биомассажа», а также через несколько минут после процедуры. Подробная полиграфическая запись велась также спустя три дня, некоторые приходили для записи через семь дней. Больные подобрались в возрасте от 16 лет до 65, то есть подростки, зрелые люди, старики...

Десятилетний мальчик с больным сердцем шел сверх программы. Для записи применялись аппараты, дающие электрокардиограммы, электроэнцефалограммы, пульсограммы и реограммы.

Что показали приборы? У сорока процентов больных выявились в результате воздействия «отчетливые изменения ЭКГ» в сторону улучшения: у одних ЭКГ нормализовалась, у других становилась реже частота сердечных сокращений. У 30% больных результаты были, как пишут врачи, «умеренные».

У 25% не обнаружены изменения ЭКГ.

Отчет или, как его назвали, «предварительное сообщение» подписали заведующий Консультативным лечебно-диагностическим центром Фрунзенского района В. Вашкевич и главный врач поликлиники А. Кулбасов. Они сделали выводы:

— существование биополя доказано;

— нет объяснения физической природы биополя;

— факт воздействия Джуны — реален, но необъясним;

— нужно продолжать исследования не на общественных началах, а имея специально созданную лабораторию и нужную аппаратуру.

Вот к такому мнению пришли практикующие врачи еще в конце 1980 года. Обратите внимание: в поликлиниках пришли к решительным выводам, установили — Джуна действительно диагностирует и лечит, ее феномен — реальный факт, требующий не только изучения, но и применения...

* * *

Когда я впервые увидел телекинез, когда под руками Нинель Кулагиной задвигались по столу спички, колпачок от ручки, стрелка компаса и сам компас с ремешком, то понял, этим предметам не под силу пробить стену скептицизма, опровергнуть мифы о «невидимых тончайших нитях» и спрятанных под одеждой магнитах. Не было ни теории, ни приборов для изучения таких явлений.

Вот если бы феномены могли на глазах у зрителей вырабатывать электричество, если бы они двигали колеса машин, они бы заинтересовали всех и давно. Но увы, увы, Нинель не всегда могла даже двигать спички, особенно если вокруг нее собирались опровергатели, в глаза, без тени смущения заявляющие женщине, что она шарлатан. Такой казус случился в МГУ на кафедре Рэма Хохлова. Приглашенный им декан биолого-почвенного факультета во время телекинеза заглянул под письменный стол, где сидела Нинель Кулагина, в поисках тончайшей проволоки и магнитов, а потом, ничего увидев, взорвался и закричал, что все происходящее — обман и фокус.

С ила, переполнявшая феноменов, искавших выход своей энергии, — а я познакомился и увидел многих, — в конце концов подвела их к черте, за которой перед ними открылись реальные перспективы. Нет, они не научились вырабатывать электроэнергию, двигать колеса машин. Но каждый своим путем приходил к одному и тому же объекту — человеку.

Их неведомая сила оказывала ЦЕЛЕБНОЕ ВОЗДЕЙСТВИЕ. Поскольку каждый человек, будь то догматик или новатор, ценит здоровье больше всего на свете, то естественно, именно в этом направлении и произошел прорыв в общественном мнении.

Встреченная мною спустя десять лет после нашего знакомства Нинель Сергеевна имела на своем счету многих излеченных людей — родных и друзей. Всем другим, памятуя, что у нее нет права на медицинскую практику, она решительно отказывала. Делала редкие исключения для таких прославленных людей как Аркадий Райкин, фигуристы Белоусова и Протопопов. Из Швейцарии, куда они эмигрировали, прислали ей письмо со словами, что у них все теперь есть, не хватает только ее чудесных рук.

Феномены начинали публичные выступления с того, что демонстрировали отгадывание мыслей на расстоянии, «кожное зрение». Все это объяснялось как фокусы. Другое дело, когда феномен исцелял неизлечимого больного. Тут он приобретал в его лице друга, союзника. Многие исцеленные включались в борьбу за научное признание явления, писали письма в ЦК партии, Министерство здравоохранения СССР.

Джуна свой дар редко тратила на публичные выступления. Она день за днем, год за годом — лечила. Многие уходили от нее с радостью. Как установили исследователи, сорок процентов, то есть четыре человека из десяти полностью оставались довольными лечением. Треть покидала ее с «умеренными результатами», но тоже с чувством благодарности.

Большинство людей после встречи с Джуной становились ее поклонниками, друзьями, союзниками. Так было в Тбилиси, откуда она привезла массу доказательств ее дара от исцеленных.

В Москве начинала с нуля и пошла тем же испытанным путем. Но параллельно с лечением начались физиче-

С поэтами Андреем Дементьевым, Андреем Вознесенским и Ильей Резником

ские опыты. Кто начал первым ее исследовать в этом направлении?

Этим человеком оказался кандидат технических наук Роберт Бархударов. Он заинтересовался «экстрасенсом» вначале как врачом, поскольку страдал язвой желудка, дважды помещался в стационар, проходил курсы терапевтического лечения. А за месяц до встречи с Джуной у него наступило очередное обострение, ему предложили снова лечь в больницу.

Прежде чем поступить в стационар, он решил на всякий случай побывать у Джуны. За минуту она установила диагноз, повторивший медицинский.

Роберт Бархударов поначалу ничего не чувствовал. Цитирую:

«И вдруг я четко ощутил непонятно чем вызванное давление на желудочную нишу, положение которой знал по болевым ощущениям и по результатам гастроскопии. Давление все усиливалось, ниша как бы прогибалась все сильнее и сильнее и неожиданно завибрировала. Впечатление было ошеломляющее, ведь между рукой и моим желудком расстояние было по крайней мере в один метр!

Джуна сказала:

— Что вы морочите мне голову, вы же старый язвенник. Я вас вылечу.

И произвела сеанс лечения. Ладонь левой руки плотно прижала к спине в области желудка, а правую расположила спереди на расстоянии десяти-пятнадцати сантиметров от тела. И начался прогрев. Ощущение было таким, как будто к телу приложили два утюга... Раздавался отчетливый треск электрических разрядов: Джуна создавала сильное электрическое поле».

Так повторялось пять раз. Цитируемые мною слова кандидат наук писал, имея отдаленные результаты:

«С момента моего окончания лечения прошло полтора года. Никаких ограничений я не придерживался, ни режимных, ни диетических. Время покажет, что будет дальше, но одно то, что по сей день я не испытываю никаких неудобств от болезни, говорит о многом».

Вскоре Роберт Бархударов провел несколько физических экспериментов. Он проверил реакцию на изменение проводимости среды. По его просьбе Джуна создала между большим и указательным пальцем правой руки некое силовое поле, и при этом стало отчетливо видимо даже при дневном свете желтоватое свечение. Ученый поднес к нему ИИИ — источник ионизирующего излучения, и свечение погасло в результате ионизации и резкого увеличения проводимости воздуха. Сама она при этом испытывала похолодание в пальцах и ладони.

Потом Джуна взяла в руки этот ИИИ, а он был в виде стеклянного шарика, где внутри находился тритий, испускающий бета-частицы низкой энергии. К удивлению испытателя, она как бы прозондировала шарик:

— Я чувствую, что внутри шарика находится котел с кипящей водой, а из него во все стороны вырываются пузырьки пара.

Потом в отсутствие Джуны шарик положили под свинцовый лист, покрытый газетой, чтобы по сторонам ничего не просматривалось.

Когда испытуемая вернулась, ей предложили показать, в каком месте под плитой спрятали шарик. Она установила это, причем точно.

Не знаю, что этими экспериментами установил кандидат технических наук, возможно, просто хотел еще раз проверить Джуну. Тем более, что это, оказывается, происходит очень просто. Была бы охота.

Джуна охотно давала себя проверить. Принесли ей четыре коробочки. В них поместили по алюминиевой тарелке. Одна из них была чиста, а три представляли собой источники гамма-излучений малой активности — от 10^{10} до 10^{12} степени Кюри. Это любопытный опыт, напомнивший русскую сказку о девочке и медведях. Испытуемой следовало, как в сказке, разложить тарелки. Самую «большую», с самым сильным излучением она поставила на край стола — для медведя, со средним излучением положила рядом для медведицы, а третью тарелку с самим малым излучением — для медвежонка. Четвертую, чистую тарелку без гамма-излучения поместила на другой край стола — для девочки, то есть для себя. Вот в такие занимательные игры поиграли с Джуной.

Завершая главу о событиях 1980 года, скажу: Джуна встречалась и с философами, и с физиками — теми, должен был по долгу службы обратить на нее внимание. Профессора, доктора философских наук И. Д. Панцхаву пришлось полечить от болезни Паркинсона, а также воздействовать на аденому. Резко улучшилось самочувствие. Этот акт заставил философа задуматься, что же собой представляет феномен? Конечно, статья Фридриха Энгельса «Естествознание в мире духов» хорошо ему была знакома.

Он пришел к выводу, дело не только в психотерапии, а «в более сложном явлении, которое непременно должно быть изучено». При этом профессор ссылается на мнение все того же Фридриха Энгельса.

— Такое явление, писал философ, — ни в коем случае нельзя игнорировать, а тем более считать каким-то мистическим, колдовским. Ведь писал же 100 лет тому назад Ф. Энгельс о сложности, неизученности такого явления как психика. Он прогнозировал, что, возможно, наука раскроет, какие физико-химические, биологические, электромагнитные процессы происходят в нашем мозгу...

* * *

И последнее. Расскажу подробнее о мнении того, кто, пожалуй, больше всех негласно противодействовал Джуне — академика Николая Блохина, президента Академии медицинских наук СССР, который принял меня в здании президиума академии на Солянке:

У меня позиция твердая была и остается: с научной точки зрения в этом феномене ничего нет. Чудесами и мистикой мы не занимаемся.

— Так что же будет дальше с ней? — обескураженный таким ответом, спросил я президента. И остался без ответа.

После визита Джуны в институт имени Сербского, просьбы Брежнева узнать, «лечит ли Джуна Генсека или калечит», второй раз обратился к президенту и поинтересовался, не изменилось ли его мнение относительно ее рук.

— Да, была Джуна там. Кстати, вы от кого узнали об этом? Вот видите, она уже козыряет этим обстоятельством. Нас попросили ее исследовать. Но науки там нет.

— А что есть?

— Мистика и чудеса.

Прошло еще несколько месяцев. Собрав все отчеты, вооружившись снимками, сделанными с экрана термовизора, я решил еще раз просить аудиенции у президента.

— Вот, говорю, Николай Николаевич, собрал все для вас материалы.

А гостеприимный хозяин, источая радушие, даже не глядит на мое богатство.

— Все это я уже видел...

— И снимки, сделанные в Институте рефлексотерапии?

Едва заметный кивок головы означал, что и эти снимки видел. Как и отзывы врачей поликлиник.

— Все они к науке не имеют никакого отношения.

И разговор пошел о шарлатанстве в медицине.

— Есть у меня убежденность, и ничем вам меня не переубедить.

— А у вас, между прочим, — заметил президент, глядя мне в глаза, — мистическая настроенность ярко выражена... Наша задача — охранять людей от шарлатанов. Изучать тут нечего, — заключил он, отворачиваясь от груды отчетов и снимков.

— Но ведь излучение налицо, оно вот, перед нами, какая это мистика и фокус?

— Излучение электрическое известно нам давно, но для терапии и диагностики никакого значения оно не имеет. Вы сделали грубую ошибку, что написали о Джуне... Что только теперь не пишут, даже, мол, по телефону можно установить диагноз, даже по фотографии... а что излучает фотография?

* * *

Новый 1981 год Джуна встретила в своей первой московской квартире. На двух жителей Москвы стало больше: ими стали Джуна Давиташвили и ее сын — Вахо, Вахтанг.

Дмитрий Чижков снимает Джуну с сыном Вахо

ГЛАВА ВТОРАЯ,

где рассказывается о мнемонизме и о наших известных современниках, подверженных этому феномену непризнания «очевидного-невероятного»; о гражданском мужестве и нравственности в науке, оказавшихся необходимыми для изучения столь безобидных явлений как телекинез и целительство; об успешных и безуспешных встречах с академиками и с писателем-академиком Леонидом Леоновым, поведавшим любопытные истории по вопросу, затрагиваемому в нашей книге; об официальном решении создать новую лабораторию для изучения, в частности, феномена «Д» и трудностях, встретившихся при неудачно начавшихся попытках «драться за дом»; о первом звонке президенту АН СССР и его шутке, от которой автору было не до смеха; и многих других радостных и печальных эпизодах, происходивших в жизни будущего старшего научного сотрудника Е.Ю. Давиташвили в 1981 году.

Из истории науки и техники известно о свойстве многих великих людей, получившем название мнемонизма: они не признают выдающихся открытий современности. Обычно приводят такие примеры мнемонизма: Наполеон не оценил силы пара и не поддержал изобретателей, работавших над созданием паровых машин, Вирхов не признавал учения Дарвина, а Дарвин, в свою очередь, осмеивал гипнотизм. И так далее...

Поэтому как ни огорчительно было слышать из уст президента медицинской академии уничтожающие отзывы о феноменах, я не терял оптимизма. Поддерживала мысль Макса Планка: «Обычно новые научные истины побеждают не так, что их противников убеждают, и они признают свою неправоту, а большей частью так, что противники эти постепенно вымирают, а подрастающее поколение усваивает истину сразу». Появился даже на основе этого высказывания афоризм: «Старые идеи не умирают, умирают их сторонники...».

С этим «законом признания» нужно считаться, особенно в той его части, где говорится о подрастающем поколении молодых ученых. Поэтому хотелось встретить ученых-ровесников, с которыми легче найти общий язык.

Помог в этом академик Юрий Борисович Кобзарев.

«Советский энциклопедический словарь» дает о нем такую справку:

«Кобзарев Юр. Бор. (р. 1905), сов. радиотехник, основатель научн. школы по радиолокации, акад. АН СССР (1970), Герой Соц. Труда (1975). Тр. по статистич. радиотехнике, теории колебаний. Гос. пр. СССР (1941)».

Упомянутую в этой справке Государственную премию СССР или Сталинскую премию, как она называлась в 1941 году, когда будущий академик стал лауреатом, он получил за радиолокаторы — те самые, что помогли стране встретить во всеоружии нападение фашистской авиации на Москву. Она оказалась лучше защищенной с воздуха, чем Лондон.

Будучи крупным специалистом в области радиолокации, физиком-экспериментатором ученый на всю жизнь сохранил пытливость, интерес к непознанным явлениям природы. Живя в молодости в Харькове, в бытность студентом слышал не раз профессора Платонова — основателя одной из школ отечественной психотерапии. Жизнь сложилась так, что интересы Юрия Борисовича оказались связанными с радиотехникой, но давний интерес к человеку, его поразительным возможностям он навсегда сохранил в душе.

Судьба распорядилась так, что ему официально поручили разобраться с деятельностью группы энтузиастов, занимавшихся на общественных началах проблемами изучения феноменальных способностей человека, относимых к области парапсихологии. Деятельности их грозило прекращение: эту общественную научную организацию как «лженаучную» намеревались закрыть.

Вот тогда, а случилось это в 1978 году, увидел впервые академик телекинез в исполнении Нинель Кулагиной, поразившей его воображение и ум. Проводил он эксперименты и с другим феноменом — Розой Кулешовой, обладавшей, как упоминалось, «кожным зрением». Обе они в прессе заслужили устойчивую репутацию шарлатанок и аферисток. Но эта репутация не помешала пытливому ученому познакомиться с их способностями и увидеть: здесь есть что изучать, фокусы тут ни при чем.

Вот тогда академик устроил демонстрацию телекинеза коллегам. На квартире у академика Исаака Икоина в один прекрасный день собралась группа ученых, десять человек, среди которых насчитывалось пять действительных членов Академии наук СССР, остальные — профессоры. Нинель Кулагина показала примерно то же, что делала на кафедре в университете у академика Хохлова, а затем во многих ленинградских институтах; все то, что поразило меня в 1968 году. Собравшимся, а все они были профессиональными естествоиспытателями, не стоило особого труда разобраться, что ни миф № 1 о «невидимых тончайших нитях», ни миф № 2 о «спрятанных под одеждой магнитах» не объясняют виденное.

Вот они-то, обсудив положение, желая как-то помочь реабилитироваться Нинель Кулагиной, а также содействовать познанию необъяснимых и не признаваемых явлений, направили письмо в президиум Академии наук СССР с призывом начать исследования.

Академик Кобзарев привлек к делу профессора Юрия Гуляева, специалиста в области ультразвука, чтобы проверить — не происходит ли в момент телекинеза излучение ультразвука. Состоялась их поездка в Ленинград, Кулагина побывала в Москве. В результате тех опытов впервые удалось неопровержимо установить: руки Нинель излучают ультразвук. Излучают, как выяснилось, и свет; причем световое и звуковое излучение оказались настолько сильными, что и без приборов видны и слышны.

Все это происходило в 1978 году. Тогда же, в июле, Юрий Гуляев доложил о проведенных исследованиях руководству Академии наук СССР. Президент Анатолий Петрович Александров предложил продолжить их в дельфинарии на Черном море: как известно дельфины излучают сильные ультразвуковые сигналы. Так что съездила за академический счет Нинель Сергеевна с мужем на Черное море, попыталась пообщаться с дельфинами. Правда, поездка оказалась неудачной, поскольку она упала на берегу, и перелом вынудил вернуться домой.

Ничего о тех исследованиях не стало известно, никаких сообщений в научных журналах, в газетах не появилось, да и Нинель Сергеевна и Виктор Васильевич не стремились к общению с прессой, памятуя опыт со мной, закончившийся «репликой» «Правды» под саркастическим названием «Чудеса в решете».

Не спешила, ничего не делала и Академия наук СССР. Однако чтобы помочь Кулагиной и ее семье, которые в глазах городских властей, соседей и многих знакомых выглядели шарлатанами, в адрес председателя Ленинградского городского исполкома было направлено письмо, подписанное вице-президентом Академии наук СССР академиком В.А. Котельниковым. И ему продемонстрировала Нинель Кулагина некоторые свои способности, в том числе знаменитое «жжение», причем на расстоянии.

В этом письме на бланке АН СССР от 28 июня 1978 года за исходящим номером 10101—10002—438,1, в частности, значилось:

«Н.С. Кулагина обладает некоторыми уникальными способностями, изучение которых представляет большой интерес для понимания природы человека. Исследования необычных явлений, вызываемых Н.С. Кулагиной, которые ведутся в ряде НИИ, в том числе АН СССР, уже привело к крупному открытию — обнаружению способности человека излучать ультразвук. Исключительное значение этого открытия для биофизики, физиологии и медицины несомненно. Эти исследования требуют от Н.С. Кулагиной большого физического и нервного напряжения...».

По счастливой случайности (вот когда говорят — его величество случай!) вице-президент академик Котельников в то же время состоял директором Института радиотехники и электроники, сокращенно ИРЭ АН СССР, — того самого института, где служили академик Кобзарев и профессор Гуляев, первыми в академии начавшими работу с Кулагиной. Поэтому и появилась столь весомая подпись на бланке Академии наук СССР. Такие события происходили летом 1978 года в жизни одной ленинградской женщины, которой показалось — вот теперь все узнают: никакая она не мошенница и шарлатанка; вновь окрепла вера ее мужа — инженера Виктора Кулагина, что физики разберутся с телекинезом, с другими ее уникальными способностями.

Но даже вице-президент Котельников, академик Кобзарев, профессор Гуляев, группа академиков, подписавшая письмо в президиум АН СССР, не смогли тогда исправить положение, не смогли круто изменить мнение ведущих физиков, делавших погоду. А мнение это еще за десять лет до описываемых событий, когда Нинель крутила стрелку компаса в Московском университете, выразил непререкаемый авторитет в физике — Лев Ландау, к тому времени тяжело больной, но не утративший способности шутить. «Телепатия — обман трудящихся»: так отреагировал великий физик на информацию о проводившихся опытах.

Вот такой мнемонизм!

Среди присутствовавших на экспериментах в университете оказался тогда профессор Сергей Капица. Пригласили его с дальним прицелом, надеялись: если все пойдет ус-

Слева направо: Л.Е. Колодный, В.А. Котельников, А.П. Александров, Н.К. Байбаков в день завершения исследований в ИРЭ АН СССР

пешно, то сын расскажет обо всем виденном отцу, великому Петру Капице, лауреату Нобелевской премии. Не знаю, о чем он сообщил отцу, но когда после университетских опытов я попытался заручиться его поддержкой, мне он ответил: «Ничего особенного увиденное не доказывает».

Когда Нинель Кулагина манипулировала над компасами и предметами, установленными перед ней на столе, Сергей Капица протянул пальцы к ее ладони, взял за руку и не отпускал какое-то время.

— Зачем вы держали Кулагину за руку?

— Мерил пульс, — ответил профессор.

На том наше общение беседа закончилось.

Думаю, не пульс мерил профессор, а пытался обнаружить все те же злополучные «невидимые тончайшие нити».

Ни нобелевские лауреаты Лев Ландау, Петр Капица тогда, ни трижды Герой Яков Зельдович позднее не поддержали попытки начать изучение феноменов. А именно их отношение и отношение многочисленных учеников мэтров делали погоду, формировали научное и общественное мнение. Идти наперекор этому мнению значило вступать в полемику, в неравную борьбу с общепризнанными авторитетами. Вот почему, полагаю, даже вице-президент не решился на публичную защиту Нинель Кулагиной. Это негативное мнение долго не давало возможности начать исследования на том уровне, что требовался, — на высшем уровне.

Хотя Нинель Сергеевна с мужем наезжала время от времени в Москву, показывала телекинез, «жжение» и многое другое, хотя встречали ее радушно академики Кобзарев и профессор Гуляев, вскоре избранный членом-корреспондентом АН СССР, принимали они ее дома, а не в лаборатории. Систематических исследовании в институте не велось.

Сообщаю все это, чтобы объяснить, почему именно академик Кобзарев два года спустя после встречи с Нинель Кулагиной, долго не раздумывая, поддержал Джуну, почему именно Юрий Гуляев возглавил первую государственную программу по изучению феноменов, наконец, почему я убедил Джуну работать именно в этом институте, где исследовался телекинез. Забегая вперед, скажу: она часто упрекала меня за этот совет — работать в Институте радиотехники и электроники, оказавшемся пассивным защитником, в трудные дни отвернувшемся от своей сотрудницы, причинив ей много обид и огорчений...

Походатайствовать перед городскими властями за Кулагину директор института, он же вице-президент, смог, однако публично защитить от нападок, открыто заявить, какой она удивительный человек, а не аферистка, — на это чего-то не хватило.

Чего?

Гражданского мужества.

«Особенно нужно сейчас говорить о чести ученого. В нашем обществе все больше и больше возрастает роль науки. Отношение к обществу, отношения ученых между собой крайне усложнились. И нет в науке правил нравственного поведения. Необходимо создать моральный кодекс ученого», — это слова академика Дмитрия Лихачева, смысл которых я ощутил в дни борьбы за правое дело.

В 1978 году физики Института радиотехники и электроники не сомневались: телекинез — реальность, требующая изучения.

Сомневались в другом — чем объяснить движение предметов, чем истолковать вращение магнитной стрелки, столь явное жжение?

— Что все это значит — не понимаю, а раз не понимаю, не могу объяснить. И выступать публично не могу. Но я буду заниматься этим до конца жизни, пока мне все не станет ясно, — вот так объяснил мне свою позицию профессор член-корреспондент Академии наук СССР, заместитель директора Института радиотехники и электроники Юрий Васильевич Гуляев при первой встрече у него на службе.

Именно он обнаружил, что когда двигаются предметы, у феномена происходит излучение ультразвука. У него появилась гипотеза, что ультразвуковым полем можно объяснить телекинез. Но оказалось, силы этого поля недостает. Кто же ответственен за телекинез, какое поле, какая сила передвинули во время опыта анодированный колпак, легкую полусферу, бумажную коробку, наконец, перочинный ножик, что оказался у профессора под рукой?

— Но ведь вы можете еще десять лет разбираться, не находить объяснение. А люди живые, ждать не могут! Кулагина живет который год с клеймом аферистки, муж ее, которому доверяют строительство океанских кораблей, наделен таким же клеймом. Почему нельзя отделить одно от другого, реальность от объяснения реальности? Меня слушали, но не понимали.

— Писать об этом не могу. Никаких интервью!

— Почему?

— Если мы не можем объяснить, мы об этом не пишем, такая традиция у Академии наук...

— Зато другие пишут и говорят! И что пишут?! Если не можете объяснить, не значит — этого нет!Выходит, нет, — твердо ответил Гуляев.

— И Джуне успели навесить ярлык «околомедицинский миф». А к ней идут сотни людей. Она лечит, кстати, многих ученых. Как же вы можете смотреть ей в глаза, работать с ней, когда ее публично оскорбляют?

Джуну профессор видел, даже проверял ее способности в домашней лаборатории.

— У нее воздействие особое...

Вот почему в институте занялись поисками приборов, которые были бы на три порядка, то есть в тысячу раз более чувствительными, чем те, что имелись. Требовались приборы, чтобы воспринимать физические поля не только феноменов, но и самых обычных людей. А кроме того, занят был профессор созданием программы «Физические поля биологических объектов». По ней предстояло исследовать и Джуну.

Наконец-то!

Наконец-то я познакомился с физиками, которые собирались исследовать явление в государственной лаборатории...

* * *

Решение об этом принималось Госкомитетом по науке и технике СССР. 26 января 1981 года я подъезжал в автомашине к большому, облицованному красным гранитом зданию этого Госкомитета на улице Горького с сидевшей впереди ликующей Джуной. Ее пригласили на совещание, где обсуждалась научная программа, разработанная профессором.

— Ну, что там? — поинтересовался я у Джуны, когда она через пару часов выходила из широких дверей.

— Будут изучать, и я буду ученым! — высказала она свою мечту.

— Каким ученым?

— Научным сотрудником! Нет, старшим научным сотрудником. Никаких младших лейтенантов. Старший научный сотрудник, доктор наук — вот кто я буду!

Можно было посмеяться над этими словами. Но что изучение начнется — сомнений не осталось: Джуна возвращалась домой с заседания в Государственном комитете, где решилась ее судьба.

Однако сообщить об этом я не мог, задыхался от бессилия, невозможности разорвать невидимую, но непреодолимую цепь безгласности, опутывавшую по рукам и ногам. Что бы случилось, если бы появилась короткая информация, мол, ученые начинают исследование феномена Джуны в Институте радиотехники и электроники? Неужели тем самым сдалась бы крепость науки на милость врагам?

В то самое время, когда ни я, ни какой-то другой московский журналист не могли сообщить соотечественникам о начале исследований, не представлявших никакой военной и государственной тайны, поздно вечером радио вещало из Лондона:

«Корреспондент Би-Би-Си, ссылаясь на информированный источник, сообщает из Москвы, что Государственный комитет по науке и технике на специальном совещании признал эффективность лечения различных заболеваний советским экстрасенсом, известным под именем Джуна, как очевидный факт и собирается предоставить ей благоприятные условия для продолжения ее работы, в частности, выделить специальную лабораторию».

Эта весть пронеслась в эфире на второй день после поездки Джуны в Госкомитет. Еще потребовалось с того момента почти два года усилий, чтобы сообщить об этом же на страницах советской газеты! Если кто-нибудь сомневается в том, что мы жили в обстановке безгласности и застоя, то я этот гнет ощутил на себе полной мерой.

Пока разрабатывалась программа, определялись участники исследований, закупалась аппаратура, пока большая наука разворачивала широкий фронт для генерального наступления, я старался делать свое дело, памятуя слова Ленина о том, что газета — коллективный организатор. И не только фиксировал события, но и искал ученых, которые могли бы своим авторитетом противостоять мнемонизму, поддержать новое направление.

События разворачивались одно за другим. Вместе с врачами поликлиники, где три месяца работала Джуна, приняли ее в Минздраве СССР, пообещав предоставить одну из московских клиник для официальных опытов на больных. Это я узнал от руководителя Консультативного центра Владимира Иосифовича Вашкевича, побывавшего тогда в Минздраве. Джуна радовалась, как ребенок.

С Эдуардом Годиком у входа в институт

— Лев, мне дают больницу и больных!

Но она ошиблась, как и врачи, ожидавшие обещанного. Никакой клиники, разрешения на продолжение работы они не получили. Просто в Минздраве, как было это в Академии медицинских наук, состоялось очередное знакомство с «целованием рук».

Тогда произошла у меня первая встреча с новым министром здравоохранения СССР Буренковым.

— Видел я Джуну, — ответил министр. — Ну и что из этого? Мои убеждения она не изменила... Наши товарищи ее смотрели. Ничего не подтвердилось. Этими товарищами были профессора Института неврологии.

Требовалось время, чтобы все стало на свои места. Требовались физические эксперименты. А их следовало подготовить: этим уже занимались.

* * *

А я решил повторить то, что случилось в 1978 году, когда на квартире академика Кикоина собрались академики и профессора, чтобы посмотреть своими глазами поразительный телекинез... Почему бы вновь не собраться на той же самой квартире академика, посмотреть, как Джуна ставит диагноз, почувствовать ее биотоки? Ведь человек только тогда может быть в чем-то убежден, если он все видел своими глазами. Иначе зачем они? В науке выработался, к сожалению, тип ученого, который не верит глазам своим, уповая на приборы, не понимая, что часто видят перед собой «мираж естественно-научной объективности». Так охарактеризовал эту черту современных исследователей польский психиатр Антоний Кемпинский.

В общем, обратился к академику, хозяину квартиры, где проходил домашний опыт. Он отдыхал под Москвой на даче. Договорились еще раз созвониться, когда академик вернется на службу. А служил он в Институте атомной энергии имени И.В. Курчатова, где директором являлся академик А.П. Александров, он же — президент Академии наук СССР. Надеялся, что от квартиры академика Кикоина недалеко до квартиры академика Александрова. А он, как я полагал, рано или поздно, должен сказать решительное слово. Одной негативной репликой на объединенной сессии двух академий ему не обойтись...

* * *

Начал обзванивать остальных участников давней встречи, не догадываясь, как много сил потребует эта простая, как казалось поначалу, операция. Академики — народ занятый, и, хотя все они люди пожилые, работают от зари до зари.

Математик Андрей Тихонов, будучи директором Математического института имени В.А. Стеклова, являлся деканом факультета университета. Жена академика посоветовала позвонить ему домой после одиннадцати вечера. Примерно в такое время и встретился я с академиком в доме на Ленинском проспекте, где живут многие ученые. Своим обликом он напоминал современников Антона Чехова. А живости его ума и свежести мысли могли позавидовать студенты, которых он учил на факультете вычислительной математики и кибернетики.

— Физиков смущает неясность, — объяснял мне их позицию Тихонов, — не ясны физические причины явления. Но во всякой науке первый вопрос — есть ли факт, а уж потом надо искать причины и искать ответы на все другие вопросы. А проходить мимо таких фактов как телекинез Кулагиной (ее я видел) или целительство Джуны — нельзя. Нужно их либо зафиксировать неопровержимо, или же опровергнуть, но аргументированно.

— Я поинтересовался у Кулагиной, — рассказывал академик, — когда она заметила у себя способности читать чужие мысли? Она ответила, что в госпитале, когда играла в домино с раненым товарищем. Вопрос тут непростой: то ли она подглядывала, то ли читала мысли на расстоянии. Я видел своими глазами, как она передвигала стеклянный бокал на столе. Стол был прикрыт газетой. Я заметил, на какой строчке стоял бокал до начала движения, и какой строчки он достиг, когда двинулся по желанию Кулагиной. А проехал он восемь сантиметров! Нет, все это не шарлатанство, я даже хотел бы избегать такого слова. Вот почему подписал письмо в Академию наук. И явление Джуны — серьезная вещь. Вот так давайте и напишем...

Так новая книга «отзывов» Джуны пополнилась вторым отзывом действительного члена АН СССР.

Видел телекинез академик Владимир Трапезников, директор Института АН СССР, но по другой специальности — проблем управления (автоматики и телемеханики). И на него телекинез произвел впечатление. Придавал серьезное значение он и эффекту «волшебной палочки» — известному с древних времен способу поиска при помощи ветки лозы воды для колодцев и полезных ископаемых. Академик поинтересовался деталями: как и что лечит Джуна, как диагностирует. Но посмотреть на нее не захотел, чтобы его не заподозрили в том, что он лечится, а стало быть, небескорыстен.

Высказался Трапезников весьма решительно, даже категорично:

— Отмахиваться от непознанного нельзя, не рискуя погубить науку. Сводить феномены к фокусу и шарлатанству нельзя, хотя не исключено, что к феноменам могут примазаться нечестные люди. Есть они везде, но из-за них мы не перестаем работать.

* * *

Получив еще один отзыв представителя естественных наук, мне захотелось добиться поддержки академика «по разряду изящной словесности», каким являлся наш современник, писатель Леонид Леонов. Именно его видел я летом 1980 года у Джуны. За его «отзывом» пришлось ехать далеко в подмосковный санаторий. Оттуда увез кусочек леоновской прозы. Опубликовать свой отзыв писатель разрешил с одним условием — в «компании с другими академиками». Леонид Леонов наблюдал Джуну в числе первых в Москве. Но рассказывал мне больше не о ней, а о знаменитой слепой «ясновидящей» Ванге. Встреча с ней произошла в Болгарии. О Ванге пишут много поразительного. С Леоновым она была в силу своего возраста и положения на «ты».

Ванга, впервые встретив писателя, сказала:

— Ты написал роман о судьбах человечества...

Она «угадала» и многое другое: что у него была младшая сестра, давно умершая, и что когда она жила, в детстве, писатель ревновал родителей к ней.

В годы немецкой оккупации пришел к Ванге домой полицейский, пригрозил арестом. Ванга, как говорили, помогала партизанам, предсказывала им исход операций, давала советы.

— Я тебя, ведьма, посажу!

— Посади, посади, — ответила Ванга, — если домой дойдешь.

Домой он не дошел, сраженный пулей партизана.

Леонов привел еще один случай из жизни Ванги, хорошо известной в Болгарии. К ней переодетым в крестьянскую одежду, не в машине, а верхом на осле подъехал фельдмаршал Лист, желавший явиться к «ведьме» тайком от сослуживцев перед отправкой на фронт. Ванга, не зная и, естественно, не видя, что перед ней гитлеровский фельдмаршал, раскрыла его секрет:

— Я тебя узнала, ты пришел ко мне как крестьянин, но ты генерал. Ты получил лестное назначение, но тебя разобьют при большой горе.

Этой «большой горой», как известно, оказался Кавказ.

Вернувшись к Джуне, Леонид Леонов выразил убеждение, что, конечно же, то, что она делает — не гипноз, это очень «важная вещь», и изучать ее нужно без шума и предубеждений.

— Жаль, что наука из-за соблюдения престижа обходила глубокие колодцы, точнее говоря, дзоты неприступных до поры до времени проблем, не зная, как к ним подступиться, оставляя их в своем глубоком тылу. А пора бы ими заняться...

* * *

Что скажет по поводу Джуны академик Котельников, вице-президент АН СССР? Ведь он возглавлял институт, где создавалась лаборатория, в которой предстояло исследовать феномены.

Я послал в институт письмо с вопросом: представляют ли интерес для науки феномены Н. Кулагиной и Джуны? И получил ответ:

«Академик В. А Котельников,
17 апреля 1981 г.

Уважаемый Лев Колодный!

На Ваше письмо от 14.IV.81 г. сообщаю, что, по моему мнению, все феномены, заслуживающие внимания науки, должны изучаться должным образом. Опрометчивая публикация новых явлений ради сенсации, а также недостаточно обоснованные отрицания их в печати, по-моему, приносят вред.

В. А. Котельников».

Сама осторожность водила рукой автора письма. Разве не ему прижгла на расстоянии затылок Нинель Кулагина при первой встрече, да так, что пришлось Владимиру Александровичу резко повернуться, потереть шею, поскольку нагрев производился без предупреждения? Таким вот образом пошутила Кулагина. Не она ли показывала директору института в темноте руку, на которой, как на эк-

Джуна лечит посла Западной Германии Гера Кастера

ране, высвечивались по ее желанию разные фигуры? Разве не от ее рук установили во вверенном директору Институте радиотехники и электроники ультразвуковое излучение, что засвидетельствовано было в письме вице-президента В. А. Котельникова на имя председателя Ленинградского исполкома за три года до моего обращения?

Много вопросов возникало после появления такого ответа, и среди них такой:разве не Джуну предполагали исследовать в этом институте и даже зачислить на штатную должность? Так почему же на ее имя накладывается табу, почему ее не рискуют упомянуть в официальном ответе журналисту? Чтобы он, не дай Бог, не тиснул статейку, не упомянул, не связал публично имя столь высокопоставленного лица в науке и имена так низко павших в глазах общественного мнения феноменов... Да, вещие слова академика Лихачева, вещие:

«...узкий специалист должен обладать широким и глубоким уровнем гражданского мышления. А сегодня это не всегда так. В нашей научной жизни не все благополучно...».

Вся история Джуны — яркий пример такого неблагополучия...

В те дни мне попалась на глаза книга академика Марчука, где, обращаясь к молодым, он высказывал мысль: «От ученого, как, впрочем, и от каждого советского человека, требуется проявление гражданского и нравственного мужества в отстаивании своих позиций от внешнего давления и субъективизма».

Оказалось, не так-то просто проявить гражданское мужество, отстаивая свои позиции от внешнего давления.

Я многого ждал от члена-корреспондента АН СССР Николая Лидоренко, который, как мало кто другой, давно интересовался феноменами, наблюдал их в лабораториях. В разговоре со мной член-корреспондент смело и открыто ругал «старых дураков», которые не понимают, что за наблюдаемыми явлениями, демонстрируемыми феноменами, скрывается, как он выразился, «глубинная физика». Он даже прислал ко мне помощников, которые интересовались мельчайшими деталями «дела Джуны», пытались было даже составить проект отзыва своего шефа для печати. Наконец, спустя месяц пришло по почте запоздалое письмо. Но в нем смелых слов не оказалось, а сказано было только то, что институт, руководимый уважаемым ученым, интересующими меня вопросами не занимается... Однако это было не совсем так.

Наконец закончился срок пребывания академика Кикоина в санатории. Он вышел на службу. Вот-вот, полагал я, состоится встреча ученых с Джуной, получит она «охранную грамоту».

Но история не повторилась. Второй раз академик не захотел предоставить квартиру для домашнего опыта. «Вы же знаете, что сказал по этому поводу президент... Так что буду держаться подальше от Джуны», — заключил академик.

Но другие встречи произошли.

Весной встретились с Джуной киевские академики Виктор Глушков и президент Академии наук Украины Борис Патон. Первый под влиянием этой встречи написал одну из своих последних (перед внезапной кончиной) статей, где пытался с кибернетических позиций объяснить природу явления. Эта статья появилась в журнале «Техника — молодежи».

А что думал по поводу Джуны президент Академии наук Украины?

«Уважаемый Лев Ефимович!

В связи с вашим письмом от 14 апреля 1981 года, в котором вы запрашиваете мое мнение о том, представляет ли для науки интерес такой феномен, как Джуна, сообщаю: любой феномен представляет интерес для науки и заслуживает того, чтобы его изучали. Поэтому, на мой взгляд, Академия наук СССР поступила совершенно правильно, организовав серьезную и планомерную работу по изучению биологических полей, а, следовательно, и феноменальной особенности, которой, очевидно, обладает Е.Ю. Давиташвили. Возможно, вам неизвестно, что в ГКНТ СССР утверждена комплексная программа по изучению биологических полей...

Думаю, что в результате этой работы будут выяснены многие, неясные пока явления.

С уважением *Б. Патон,* академик.

30 апреля 1981 года».

Естественно, мне хотелось в печати сообщить, что исследование феноменов в СССР начинается. Но те, кто планировал работу, думали иначе:

«Зачем хвастаться раньше времени. Вот запустим «спутник», тогда и сообщим», — решил Гурий Иванович Марчук.

Все добытые с трудом отзывы остались лежать в столе...

* * *

Однако результаты работы Джуны в городской больнице № 36 и других московских поликлиниках неожиданно стали достоянием всех.

О них сообщил «Огонек» в апреле 1981 года. То была публикация, принесшая много радости.

Мук тоже.

Вышедший днем в пятницу свежий номер «Огонька» привлек чье-то внимание и вызвал начальственный гнев. И вечером печатные машины, которые должны были еще долго вращаться, чтобы выпустить весь тираж, внезапно остановили.

Всю ночь Джуна не смыкала глаз, металась как львица в клетке, то рыдала, то ругалась, проклиная своих врагов, то пила в изнеможении лекарства, то звонила высокопоставленным пациентам...

Кто остановил машины?

Кто запустил вновь?

Генерал армии А.А. Епишев, в то время каждый день приезжавший днем на прием к Джуне. Именно он после звонка рыдающей целительницы обратился к старому другу Брежневу, который принял решение продолжить печатание журнала, не исключая из номера злосчастную статью, которая без малого год не могла увидеть свет...

А кто запретил печатать журнал и распорядился сжечь шестьсот экземпляров «Огонька»?

Команда, переданная по телефону директору типографии газеты «Правда», исходила из ЦК партии от заместителя заведующего отделом Севрука. А исполнял он волю члена Политбюро, ЦК КПСС, ведавшего идеологией Суслова. Он же и поручил институтам неврологии и психиатрии проверить Джуну на вменяемость, чтобы отправить ее за решетку, как это практиковалось в отношении диссидентов. Но ничего из этого, как читатель знает, не вышло.

Как бы там ни было, а в одиннадцать утра в субботу я услышал в трубке голос едва живой моей героини:

— Революция продолжается! Журнал выйдет со статьей обо мне.

Но между Джуной и официальной медициной, которой она стремилась отдать свои руки, стояла глухая стена.

* * *

Попытку ослабить «внешнее давление», проинформировать законодателей науки — физиков — сделал в те дни академик Ю.Б. Кобзарев.

В майские дни 1981 года Юрий Борисович, надев парадный костюм со звездой Героя Социалистического Труда, вместе с женой отправился в святая святых физиков — ФИАН.

Все места в большом зале института были заполнены . Пришедшему в числе последних председателю собрания академику Виталию Гинзбургу не сразу нашлось, где и сесть. Глядя на переполненный зал, он сострил, что вот теперь видно, как много людей в ФИАНе занимается физикой...

Юрий Борисович выступал час. Говорил об опытах, которые проводил с Розой Кулешовой, Нинель Кулагиной. Во всеуслышание в такой большой и авторитетной аудитории физиков академик доложил, что в момент телекинеза от рук зарегистрировали акустические сигналы в виде щелчков, они следовали в ритме сердца: длина — микросекунда, интервал — секунда; фиксировались сигналы электрометром. Потом выступал профессор Юрий Гуляев и доложил о величине сигнала.

У него из зала спросили:

— Видели ли вы телекинез?

Зал замер. Что ответит член-корреспондент Академии наук СССР?

— Видел, — ответил профессор, но как-то неуверенно, и добавил, что иллюзионисты делают то же самое.

Я слушал и не верил ушам своим. Был ли мальчик? Ведь за три года до поездки в Физический институт профессор с энтузиазмом докладывал в здании Нескучного дворца маститым членам президиума академии о своем открытии. Перед моими глазами всплывала фотография, где Нинель Кулагина стоит перед немыслимой длины трубой, куда она посылала свои «щелчки», регистрируемые датчиками в момент телекинеза. Рядом с трубой стоит ее хозяин, Юрий Гуляев, никаких фокусников рядом нет.

Вывод из посещения ФИАНа Юрий Борисович сделал неутешительный: «Ситуация ясна: никакого объяснения пока нет».

Странные дела происходят в науке. Президиуму академии докладывается о телекинезе как о факте реальном, а собранию физиков — как о некоем гипотетическом факте...

— Телекинез еще доказать нужно! — поучал меня будущий заведующий лаборатории, где предполагалось исследовать Джуну.

Сеанс телекинеза в гостях у ректора Ленинградской Духовной академии владыки Кирилла

— Доказывайте на здоровье, но это же не значит, что телекинеза нет, — пытался я парировать доводы доктора физико-математических наук Эдуарда Годика, которому поручалось новое дело. Именно он должен был на несколько лет стать начальником Евгении Давиташвили.

— Джуна — доморощенный йог, — высказывал свою точку зрения будущий заведующий на своего будущего штатного сотрудника. — Никаких биополей у нее нет.

Если Юрий Гуляев — специалист в области ультразвука, то Эдуард Годик, которого пригласили возглавить новую лабораторию радиоэлектронных измерений биологических объектов, является знатоком в области оптических изменений.

— Его знают во всем мире, — отрекомендовал будущего заведующего шеф, профессор Гуляев. Восьмого июня от пребывавшего в отличном расположении духа профессора я услышал по телефону:

— Официально выражаю удивление вашим звонком — с какой стати вы, журналист, ко мне обращаетесь с вопросами? А лично для Льва Колодного могу сообщить: вскоре получаю большие ресурсы для развертывания работ по программе «Физические поля биологических объектов».

— Не написать ли?

— Нет, конечно. Нам никакой рекламы не нужно, мы будем этим делом заниматься серьезно.

* * *

Наступили летние светлые дни. По утрам, закрыв перед посетителями двери квартиры, оставив сына на руках знакомых, Джуна спешила в машину, чтобы с Ленинградского проспекта, где жила, побыстрее доехать до Ленинских гор, где расположен Московский университет.

Полная надежд Джуна свыше недели, как на праздник, ездила в лабораторию кафедры, руководимую Евгением Павловичем Велиховым, вице-президентом АН СССР, который, как помнят читатели, получил от правительства миллион долларов и десять миллионов рублей на исследование «Эффекта Джуны», к которому «руку приложил». Валюту и рубли поделил между лабораторией института радиотехники и своей кафедрой атомной физики и электронных явлений физического факультета Московского университета. Туда и спешила Евгения Ювашевна, надев лучшее платье.

За порог лаборатории меня не пустили. Вспоминал: этим же маршрутом ехал в машине, за рулем которой сидел Рэм Хохлов, доставлявший на свою кафедру Нинель Кулагину.

Теперь вот на тот же факультет университета ехала Джуна.

Что она там показывала — знаю с ее слов.

Особенно нравился ей эпизод, где воздействовала на сердце лягушки.

— Я убила ее! — рассказывала с дрожью в голосе. В успехе, как всегда, не сомневалась. Заведующего лабораторией называла не иначе как Саша. Я не заражался ее оптимизмом, потому что хорошо помнил, чем завершились мои оптимистические опыты на кафедре Рэма Хохлова... Тогда ведь телекинез все ее сотрудники наблюдали много раз, три дня подряд. Но вывода о том, что телекинез — реальность, сделать никто не посмел, даже такой авторитет физики, как Рэм Хохлов.

Так же неожиданно, как поездки начались, они и закончились. Никакого результата опыты не дали.

Когда Джуна встречалась с экспериментаторами, они ей улыбались, говорили, что все идет хорошо, мол, регистрируют ее сигналы...

Когда же я навел справки у доктора наук, то услышал другое:

— Аппаратура, что у нас есть, не показывает ничего. Ничем Джуна не отличается от всех, — убеждал меня доктор наук Александр Рахимов.

— Зачем тогда ее вводить в заблуждение?

— Ну, зря, вы понимаете, обо всем этом говорите; вы — человек другого воспитания. Я с ней разговариваю и пытаюсь ее заинтересовать, и если буду сразу говорить все как есть, то все сразу и кончится. А зачем мне это нужно? Я заинтересован, чтобы все продолжалось, я хочу истину понять. Я поэтому не буду ей говорить ничего, а буду говорить: что-то есть, давайте исследовать и так далее. Понимаете?

Нет, не понимал. Зачем обманывать, зачем ложь, разве можно строить на такой основе отношения? Что за нравы в научной сфере?

Разговор этот с доктором наук меня подавил.

На кафедре академика Хохлова все видели, как передвигались по столу без прикосновения рук предметы. Все видели вращение стрелки компаса. И все промолчали. Никто не посмел сказать — да, это факт!

— Когда мы предлагаем сделать эксперимент по телекинезу нормально, то есть ставим в лаборатории стол весом в пять тонн, который нельзя трясти, — коснулся и этого доктор наук Раимов, — помещаем предметы в вакуум, туда же ставим крутильные весы и говорим, что, по нашим оценкам, передвинуть предметы в таких условиях легче, чем на обычном столе, то нам в этом случае отвечают — нет, мы в таких условиях работать не будем.

— Ну, хорошо. Ваши приборы ничего не регистрируют, но, может быть, вы что-нибудь видели своими глазами?

— Нет, не видели!

— Ну, тогда, быть может, что-нибудь почувствовали?

— Мы в лаборатории, пять человек, ничего не почувствовали, я тоже не ощутил, — ответил доктор наук, — хотя мне очень этого хотелось. Но как раз такие вещи только дискредитируют дело — не ощущаем, ну и не важно, не самый это ощутимый прибор, наши руки. Эти ощущения и нельзя приводить в качестве аргумента.

— Зачем вам вообще нужна Джуна, если ничего ваши приборы не показывают?

— А вот вы писали, что над ее пальцами и над головой виден свет. Есть у нас прибор фотоумножитель, который регистрирует фотоны, даже одиночные, вот все это можно померить количественно. Поэтому у нас нет огульного отрицания, но и нет огульного захваливания, надо трезво безо всякой шумихи работать. Потому что всех трезвых людей эта шумиха расстраивает, — заключил Александр Турсунович Рахимов, имея в виду мою газетную публикацию о «биополе». На этом и закончилась наша беседа.

Сотрудники этой лаборатории университета взяли у государства сотни тысяч долларов и рублей, купили аппаратуру для изучения «Эффекта Джуны», но встретившись несколько раз с ней летом, осенью они, как обещали ей и мне, работы не продолжили. Зачем?

Все, что требовалось, получили.

* * *

Наступит ли благое время, о котором мечтал Сент-Экзюпери: «Я верю, настанет день, когда больной неизвестно чем человек отдастся в руки физиков. Не спрашивая его ни о чем, эти физики возьмут у него кровь, выведут какие-то постоянные, перемножат их одну на другую. Затем, сверившись с таблицей логарифмов, они вылечат его одной единственной пилюлей»?

Американские физики, приехав в Москву, поставили простой опыт. Раздобыли плотные конверты с запечатанной в них цветной пленкой. И предложили Джуне засветить их руками, не вынимая из упаковки. Джеймс Хикман, биолог и физик из штата Калифорния, Сан-Франциско, сотрудник института, где изучают скрытые возможности психики человека, рассказал, а я записал его слова:

— Мы взяли катушку с пленкой, чувствительность двести единиц, несколько черных конвертов.

В каждый конверт вложили по два куска пленки длиной в восемь дюймов, непроявленной, конечно. Затем я положил черные конверты в два разных белых больших конверта. И один из них дал Джуне. Она держала конверты между руками 25-30 секунд, до тех пор, пока не сказала, что на них подействовала.

Было всего шесть черных конвертов. Три из них я дал ей, и она пыталась на них воздействовать. Затем я пометил эти конверты и повез домой, потом в Штатах отдал на проявление всего двенадцать кусочков пленки — и те, что она держала в руках, и те, которых она не касалась. Шесть кусков, которые не подвергались воздействию Джуны, оказались совершенно черными.

А те шесть кусков, которые она держала в руках, были особым образом засвечены. Пленка была цветная, слайдовая, обратимая. На ней появились своеобразные следы в форме небольших кружочков, причем центр круга — совсем белый, а от него исходят лучи.

— По всему куску пленки?

— Почти по всему куску пленки... Преобладающая окраска такая: центр белый,

а вокруг белого пятна ореол — красные, розовые, синие, голубые пятна. У этой цветной пленки есть три уровня восприятия света. Если воздействие на пленку слабое, то появляется синяя или голубая окраска.

Посильнее — красная. И очень сильное свечение — это белая окраска. Засветка свидетельствует, что энергия, исходившая от Джуны, была всех трех уровней, поэтому появились все три цвета.

— Есть ли какие-то закономерности в засветке?

— Порядка в распространении света мы не обнаружили. В некоторых местах пленки засветка была такой интенсивности, как если бы пленку просто вскрыли на свету.

— Мы заметили два способа засветки — пятнами и сплошь. Поскольку три контрольных куска остались тем-

В лаборатории ИРЭ АН СССР.
Лев Колодный с академиком Юрием Гуляевым и профессором Эдуардом Годиком

ными, вероятность, что пленка засвечена не Джуной, равна нулю.

Этот опыт показывает, что у Джуны есть электромагнитная или какая-то другая энергия. Но наш опыт никак ее не измеряет, поэтому нужны более жесткие эксперименты.

Спектрального анализа, никаких инструментов мы не применяли.

— Ну, а есть у Джуны особое поле?

— Думаю, что у Джуны несколько полей, которые мы знаем, можем записать: электромагнитное, инфракрасное, радиационное излучения. Думаю, что есть у нее и компоненты, которые мы не знаем.

Пусть не подумает поспешно мой читатель, что вот, мол, молодцы-американцы — не то, что у нас: взяли да провели с Джуной физический опыт... Не буду сейчас вспоминать о точно таких опытах, которые с участием Нинель Кулагиной ставились у нас лет десять тому назад в Ленинграде... Хочу остановиться на другом. Среди американских физиков подавляющая их часть (как и везде, во всех странах, где развита наука) считает, что феномены — фокусники или шарлатаны. Американский профессор Дэвид Майерс в журнале «Сайенс дайджест» опубликовал статью (переведенную на русский язык и опубликованную в московских газетах под заголовком «Чудеса в решете»), в которой доказывал: все феномены или, как он их называет, «медиумы» — нечестные люди.

Его коллега, английский профессор Ч. Хэнзел, издал книгу (также переведенную на русский язык) под названием «Парапсихология». Но если кто-то, заинтригованный заголовком, ее откроет, то увидит, что это «Антипарапсихология»: все упоминаемые в этой книге опыты сводятся к ошибкам и обманам.

Французский журналист М. Ружа в журнале «Сьянс э ви» доказывает: все известные случаи телекинеза — фокусы. Статья его с фотографиями перепечатана с явным удовольствием в московском журнале «Наука и жизнь», непримиримом к телекинезу и целительству...

* * *

Подготовил я интервью с американским биофизиком и подумал: нельзя ли перед публикацией заручиться поддержкой Института радиотехники и электроники? И отправил туда интервью, которое мне помог провести заместитель директора этого института по научной части... Ответ не заставил долго ждать. Буквально в тот же день получил я письмо за подписью ученого секретаря, который по поручению директора, академика В. А. Котельникова, пояснил, что «институт не имеет к вашей беседе с американскими учеными никакого отношения».

Ну что ж. Если не желает печати помочь вице-президент, обращусь к президенту... Долго не решался на этот шаг, хорошо помнил его слова о «лженаучных направлениях». Но знал и другое — академик Анатолий Петрович Александров поддержал много инициатив, несмотря на годы, не утратил жизнелюбия, доброжелательности, чувства юмора.

Как раз в те дни официально в академии утвердили программу «Физические поля биологических объектов». Значит, решил я, президент к ней имеет отношение. В общем, позвонил.

— Но ведь Академия медицинских наук назначала комиссию, она этим занималась...

— Дело ведь не только в медицине. Джуна засвечивает фотопленки, воздействует на больных...

— И вы на меня оказываете воздействие, — среагировал президент.

Шутка придала уверенности, и я произнес монолог, начав с того, что много лет назад показывал телекинез академику Хохлову, звонил тогда же вице-президенту академику Борису Павловичу Константинову, но он так и не нашел время посмотреть Нинель Кулагину, хотя та жила в Ленинграде, где и вице-президент бывал каждую неделю. Джуна всегда в форме, видели ее многие академики, в том числе Марчук, Патон, Глушков...

— И я, будет время, посмотрю, — пообещал президент. Так состоялось мое с ним знакомство.

* * *

Пролетело лето, кончилась пора отпусков. Когда вернулся в Москву — узнал: буду работать в Институте радиотехники и электроники — как о деле решенном заявила Джуна.

— Когда у вас начнет работать Джуна? — перепроверил информацию у профессора.

— Как только развернем лабораторию!

С профессором и доктором наук я встретился в университетском дворе, где располагается ИРЭ АН СССР. И здесь узнаю другую новость — институт, оказывается, несколько месяцев тому назад направил письмо в исполком своего района с просьбой выделить помещение для новой лаборатории.

Называться она будет — биоэлектроники...

Ей выделили лимиты на средства для закупки приборов отечественных и импортных. Ей передали ЭВМ.

— Что от меня требуется? — спросил я, готовый горы воротить для такого дела.

Требовалось простое.

Два месяца не могли физики дозвониться до председателя райисполкома, попасть к нему на прием. Через день в том же составе встретились мы в приемной исполкома Красной Пресни. Институт просил несколько сот квадратных метров площади для лаборатории.

Когда мы сели за стол переговоров, профессор вынул папку, и тут я впервые увидел записи импульсов, полученных во время опытов по телекинезу.

Как дельфины и летучие мыши, люди излучают ультразвук, — начал он рассказывать руководителю района, ведающему недвижимостью. — Эти звуки можно не только улавливать приборами, но даже распознавать на слух, так сказать, невооруженным ухом. При телекинезе приборы регистрируют выбросы энергии.

Узнаю, что Нинель Кулагина, воздействуя на луч лазера, произвела «лазерный разброс». Луч теряет компактность, пучок лазерного света рассеивается, как бы разбрасывается под воздействием ее рук.

— Поставим мы в новой лаборатории вычислительную машину «Норд», сможем записывать сигналы не только таких людей, как Джуна, но и всех, научимся диагностировать на расстоянии больных. Так что наше дело беспроигрышное!

Под «проигрышем» профессор подразумевал возможность того, что у Джуны ничего вдруг особенного не обнаружится. Сообщил он и про то, что Джуну собираются зачислить в штат лаборатории.

— Все упирается в помещение.

В тот день назвали нам три адреса, рекомендуя остановить свой выбор на чем-то одном, чтобы затем начать «драться за дом»...

Сели втроем в машину и поехали по этим адресам. Особняк во Вспольном переулке показался наиболее подходящим.

Так начались поиски помещения. Адреса для осмотра, как видите, получили быстро. Но скоро сказка сказывается... Как только начинали «драться за дом», то выяснялось: то ли он уже имел хозяина, то ли его нельзя отремонтировать из-за ветхости, то ли невозможно взять, потому что заселен многими жильцами, а квартир для их переселения нет...

* * *

Этим трудным делом было интересно заниматься, это все-таки были «стихи». Проза состояла в другом. Резко взмахнув рукой, чем-то раздраженная Джуна обожгла губы одному из друзей, рассказывая о споре с врачами. Появилось у «пострадавшего» легкое покраснение. Оно прошло через несколько дней.

Все видели ожог.

Однако ни я, ни какой-то другой очевидец не могли написать о том, что видели. Главлит, цензура не разрешала в печати упоминать имя Джуны. Об этом распорядились, как мне сказали, в инстанциях. Запрет на публикации могло наложить любое министерство, любой отдел ЦК партии.

Вот такая «застойная» ситуация... Дом Джуны открыт для всех с утра до поздней ночи. Каких только известных и славных людей здесь я не видал: писателей, поэтов, художников, артистов, ученых. Все сочувствовали, все негодовали, а прорвать стену замалчивания не могли. Джуну приглашали в разные больницы и поликлиники, она показывала врачам все, что могла, учила всех, кто только проявлял интерес к ее методике — профилактической и для определенных недугов. Вечером приглашали ее в клубы, дворцы культуры. Это не возбранялось, так же как сниматься в кино: но только в художественном фильме, не в документальном.

Имя Джуны узнали многие. Художники писали портреты, поэты воспевали в стихах, появились о ней песни... Но писать в прессе о ней было нельзя. Нечто подобное переживал Владимир Высоцкий. Все его имя знали, в театре выступал, на экране кино появлялся, мог петь, выступая в разных клубах, записанные на магнитофон песни проникали в каждый дом. Но ни одно издательство не выпускало книг Высоцкого, ни одна газета не писала о главном —

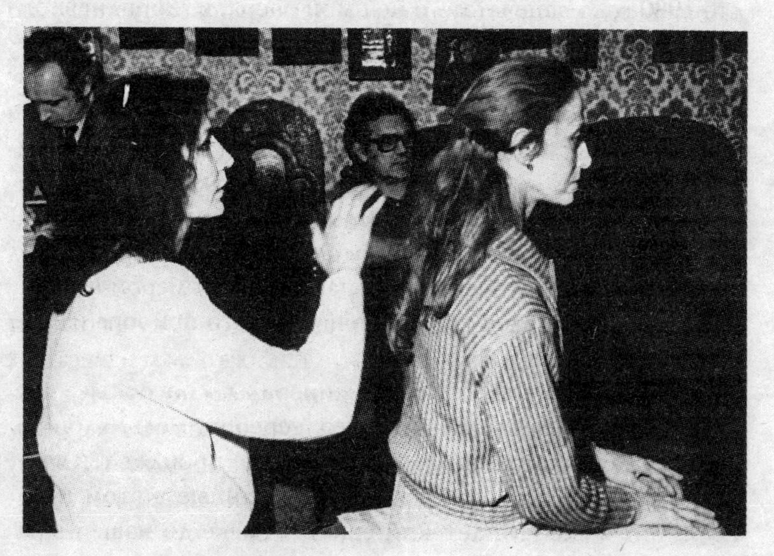

Великая Майя Плисецкая тоже испытала силу энергии рук Джуны

его песнях, телевидение не показывало гения России как исполнителя своих песен. Странная ситуация полупризнания при всенародной известности!

Так и с Джуной. Ни одна газета, ни один журнал, ни одна редакция радио и телевидения не рисковала рассказать о ней или тем более — предоставить ей слово, ни одна! Даже «Комсомольская правда», дерзнувшая в августе 1980 года напечатать о ней мой очерк, к злободневной теме не возвращалась, хотя обещала читателям. В то же время не проходило месяца, чтобы то в одной газете, то в другой, не появлялось статьи, где бы экстрасенсы не приравнивались к шарлатанам, жуликам...

В одной из статей как-то прочел верную и грустную мысль, что человечество во многих случаях оказывается морально неподготовленным исследовать непонятные явления, подмеченный факт, не знает, с какой мерой подойти к описанию явления, с помощью какого прибора измерить наблюдаемый эффект.

Когда еще были описаны минералы, способные, как руда железо, притягивать золото, серебро, медь, хлопок, шерсть, даже мясо и воду... Сколько еще пройдет тысячелетий, прежде чем откроют поля, повинные в этом притяжении? Фалес Милетский еще в VI веке до нашей эры подметил: янтарь притягивает шерсть! А объяснение пришло — когда? Две тысячи с половиной лет понадобилось на это...

Не случится ли то же самое с Джуной? Готовы ли физики морально к встрече с ней, окажется ли среди самых дорогих и современных физических приборов, купленных в заморских странах, тот единственный, что докажет всем абсолютно достоверный факт: феномены — реальность, основанная не на гипнозе...

Мое настроение передавалось и без того склонной в те дни к пессимизму и вспышкам отчаяния Джуны.

— Дайте аппаратуру, дайте работать, — требовала она у себя дома, размахивая руками, — я хочу блага для народа!

— Вернусь работать в бар! Ничего мне больше не нужно.

Или возникала другая идея, еще более дикая.

— Уйду в монастырь!

Потеряла тогда сон, пила снотворное.

— Нелегкое бремя у славы Джуны, — заметил после страстного монолога слушавший ее с большим сочувствием Андрей Тарковский в тот день в октябре 1981 года, когда она рвалась то в бар, то в монастырь, когда ей не давали места в поликлинике. Ему хотелось дать ей роль в своем фильме...

Подходящего помещения для лаборатории быстро найти не удавалось. Куда мы втроем только не ездили смотреть дома — и на Малую Грузинскую, и в Волков переулок, и на улицу Рылеева... Все было не то.

Ничего в течение 1981 года не выходило и с аудиенцией у президента Академии наук, хотя голос его в трубке звучал дружелюбно.

«Звоните в будущем году», — обнадежил он меня.

Наступал новый день, и начинались новые звонки, поездки.

Джуна продолжала доказывать и убеждать, что сила в ее руках должна принадлежать всему народу, всему миру. По вечерам, закончив прием, спешила на встречи, ездила в клуб Звездного городка. Там я услышал от писателя Василия Захарченко, что произошло у него вскоре после знакомства с Джуной. Она ждала его в редакции, а он в это время задерживался, разыскивал в гостинице «Москва» чехословацкого коллегу, редактора научного журнала, которому пообещал принести статью. В общем, нашел в длинном коридоре номер, но тот был пуст. На столе стоял портфель. Вот туда и положил Захарченко заказанную статью и, не дождавшись хозяина, поспешил в свой журнал «Техника — молодежи». И здесь ему Джуна при свидетелях обрисовала, как только что видела его спешащим по длинному коридору, как вошел он в комнату, увидел на столе портфель, сунул туда быстро бумаги и только после этого успокоился. Это случай телепатии. Еще более загадочной, чем целительство.

Я стоял за кулисами рядом с космонавтом Алексеем Леоновым. Статью мою о Джуне в газете он читал и даже процитировал то место, где я писал о «красивой молодой женщине». Леонов сказал, что представлял ее именно такой, какая она на сцене Звездного городка.

Когда закончился вечер, Джуну пригласили в госпиталь. Она поехала, хотя время было далеко за полночь. Пробыла там до утра.

* * *

Чем больше говорили о феномене «лирики» вроде меня, тем больший скептицизм испытывали профессионалы-физики, от которых ожидали объяснения. В те дни у меня состоялись две беседы с известными физиками — академиками Аркадием Мигдалом и Виталием Гинзбургом. Первый из них, как мне сказали, встречался с Джуной. Решил узнать впечатление.

— Видели ли вы Джуну?

— Да. Это очень интересный человек. Она обладает даром целительства, умеет вызывать к жизни энергию больного. Мне кажется, это одна из форм гипноза. Есть люди, обладающие своеобразным видом внушения. Вообще гипноз не изучен. Он позволяет влиять на психику больного, мобилизуя его собственные силы.

Что касается диагностики, то мне кажется, нехорошо считать и это шарлатанством, нужно в каждом случае это изучать серьезными средствами. Если серьезные ученые займутся делом, то тогда можно будет сказать, что здесь шарлатанство, а что серьезно.

— Есть ли тут какая-то физическая субстанция, какое-то неведомое поле?

— Нет, это неправда, этого нет, никаких оснований для этого утверждения нет.

— А биополе есть?

— Я не имею права сказать — нет, всегда может быть такое, что ускользало от внимания исследователей. Однако никаких оснований сегодня считать, что такое поле есть — нет, никаких экспериментов, свидетельствующих о его существовании — нет, никаких научных сведений о его существовании — нет. Все разговоры о будто бы существующем биополе основаны на околонаучной болтовне.

— А что вы скажете о телекинезе? Как вы относитесь к такому явлению?

— Абсолютно отрицательно, совершенно убежден: такого явления нет.

— Но я видел много раз...

— Как объяснить то, что вы видели — не знаю, я не фокусник. Это, безусловно, какой-то фокус, иногда бывает, что фокус — нежульнический: сухие наэлектризованные руки могут передвигать маленькие предметы, не касаясь их. Если здесь что и есть, то объясняется простыми физическими причинами, никаким биополем телекинез объяснять нельзя. В некоторых случаях это может быть ультразвук, как говорит академик Кобзарев, хотя сомневаюсь: тут силы ультразвука мало.

— Но ведь Нинель Кулагина движет предметы разные — маленькие, немагнитные, деревянные, даже сахар. Это же все удивительно.

— Ничего удивительного, когда иллюзионист Акопян двигает предметы, меня это не удивляет. Восхищает, но не удивляет.

— Пока никаких оснований факта биополя нет. Может быть, и появятся новые факты, что заставят нас от такой точки зрения отказаться...

Академик Виталий Гинзбург, как мы знаем, нашел время, чтобы прийти в Физический институт АН СССР, когда выступал с «нестандартным» сообщением Юрий Борисович Кобзарев. Поэтому я взял и у него интервью.

— Не нужно бежать впереди прогресса, как говорится. Определенные неясные явления нужно исследовать, на этот счет много сказано в печати, я уверен, что вы знаете в этом вопросе больше меня: вы, я вижу, этим интересуетесь, я только читал книжку профессора Васильева «Внушение на расстояние», она совсем неубедительна...

Слушал у нас в ФИАНе доклад академика Кобзарева, вот вся моя информация. Я не считаю, что нужно с порога это отвергать. Я хорошо знаю, в прошлом веке отмели гипноз. Какая-то осторожность нужна. Мне пока нечего сказать, если что будет научно обоснованное, тогда скажу. И вам советую не торопиться.

Вы поняли мою позицию: я не являюсь априорным хулителем. Я не физик-экспериментатор, я не вижу, что мне сейчас здесь делать.

— Значит, вы, как теоретик, пока ничего не видите...

— Нет, конечно. Будут факты — будем думать, а пока все это на уровне разговоров, — заключил будущий лауреат Нобелевской премии.

* * *

Работа в лаборатории не начиналась. Не было помещения. Зато дома у Джуны я мог увидеть и услышать много интересного. В конце года появился портрет, написанный ленинградским художником Иваном Ивановым-Секачевым. На этой картине, в зеркале, художник смотрит на Джуну глазами, полными удивления. А удивлялся не только физическому совершенству. Художник встретился с ней в трудную для себя минуту. Два месяца лечился безуспешно в ленинградской военно-медицинской академии. Болели левая нога и левая рука. Диагноз — левый боковой нестрофический склероз. Рука и нога считались неизлечимыми, причем болезнь прогрессировала. Принял он у Джуны десять курсов лечения по 7 сеансов каждый. Про-

Федерико Феллини в мастерской Джуны

пала скрученность левой руки, пальцев, они стали мягкими. Художник стал забывать, что пальцы постоянно болели. Появилась легкость в коленях, желание ходить, перестал надевать наколенник, предписанный врачами. Неужели и здесь Джуна воздействовала гипнозом?

Так стало на один портрет больше.

Изваял Джуну самодеятельный скульптор. И вот по какому случаю. Привезли с Украины маленького мальчика. Ребенок чувствовал себя свободно в квартире у Джуны, она отнеслась к нему с нежностью, как к сыну. Глядя на веселого подвижного румянощекого ребенка трудно было поверить, что год назад его полуживого принесли сюда на руках. За год до встречи с Джуной перенес мальчик неудачную операцию. У него была грыжа. Во время операции задели мочевой пузырь. Мальчик заболел перитонитом. Вторая операция. Воспалительный процесс остался... Летом сделали третью операцию, и заразился ребенок... дизентерией. Десять суток лежал в реанимации без сознания. Немного пришел в себя — и снова кризис, плохие анализы. В мочевом пузыре ребенка после операции осталась шелковая нитка. Ему сделали четвертую операцию, после нее поправиться не мог. Отказали почки. Было у него белка — 66, лейкоцитов — 200 с чем-то, температура постоянно 38 градусов. На поправку ребенок пошел после третьего сеанса Джуны. Когда я его увидел, привезли для профилактики. Отец мальчика — художник. Он изобразил Джуну в рост, в брюках, шагающей по черной каменной доске. Интересно все-таки, каким гипнозом обладает Джуна, оживившая приговоренного к смерти ребенка?

Евгений Евтушенко в поэме «Фуку» описывает, как его семья вместе с добровольными помощниками выхаживала сына, Тошу, пострадавшего от «цитомегаловируса».

Ребенок называл первые в жизни слова, называл тех людей, которые вырывали его из лап смерти, называл только первый слог имен, хотя его сверстники хорошо могли говорить... Среди них были английские студенты, живущие в Москве. «Тоша, — писал Евтушенко, — называл студентов Дж, Э, Ру, Мэ. А трудное имя Джуна он, как по волшебству, произнес сразу».

Я видел, как работала Джуна с Тошей, поэтому мне не кажутся преувеличенными слова наших лириков, в частности Андрея Дементьева:

Как имя мне твое перевести на мой язык?
Как разгадать сказанье?
Быть может, это горькое «прости»?
Иль чье-то затаенное признанье?
Есть в имени загадочном твоем
Божественная музыка созвучий.
Вхожу в твой взгляд, как прохожу в твой дом,
Беда и горе уж меня не мучат.
Я знаю, ты берешь все на себя,
Все доброте, как небесам, подвластно.
Ты в нас живешь, надеясь и скорбя,
Чтобы любовь в нас никогда не гасла.
Дозволь мне что-то сделать для тебя,
Жизнь коротка и потому печальна.
Улыбка сына в зорях сентября.
Надежда в этих звездах дальних.
А ты без нас не уводи себя,
Дозволь коснуться рук твоих.
Жизнь коротка, но для добра бескрайна.
У глаз твоих чужой недуг затих,
Но в сердце у тебя чужая рана,
А сколько, сколько еще будет их...

Спустя несколько лет, в 1986 году, когда Андрею Дементьеву как ведущему телевидения представилась возможность рассказать о своей героине с телеэкрана, он утратил дар образной речи и на вопрос зрителей ответил совсем не так, как написал в процитированных стихах...

* * *

Год заканчивался. Лаборатории не было. Бумаги перемещались из одной канцелярии в другую.

— Хочу работать с аппаратурой!

Таким было новогоднее желание Джуны Давиташвили в канун 1982 года. Ее страстное желание сбылось через десять месяцев. В новом году. О нем — следующая глава.

ГЛАВА ТРЕТЬЯ,

где рассказывается о переговорах по телефону, начатых с президентом академии, на которого автор возлагал большие надежды; а также о начатых приятных хлопотах и поисках домов для лаборатории, хотя ни переговоры, ни хлопоты не приближали к желанной цели, в результате чего автор сочинил басню «Лев и Волк»; о неожиданном испытании Джуны в центре биофизиков в Пущино, которое она с успехом выдержала, что удостоверяет под протоколом подпись младшего научного сотрудника, поскольку старшие не отважились; и о многом другом, что привело физиков в подвал, куда вызвали Джуну, которую в конце концов зачислили в штат академии, не кем-нибудь, а «с.н.с», то есть старшим научным сотрудником...

Чем больше занимался я проблемой, тем чаще думал, что только президент «большой академии», только такой человек как Анатолий Петрович Александров, обладающий высшей властью в науке, мог бы как-то изменить «общее мнение», противостоять несправедливости, положить конец всем выдумкам, устным и печатным, распространявшимся вокруг имени моей героини. Третий год изо дня в день лечила она у себя дома и в больницах, и в то же время вроде как бы ее и не было в Москве, хотя прописку и отличную квартиру в центре получила.

Но чтобы президент мог помочь, он должен увидеть этот «таинственный феномен».

— Не могли бы вы, как обещали, посмотреть... — начал я очередной раунд телефонного поединка в новом году.

— Я к этому отношусь скептически, — миролюбиво ответил президент, вернув меня на исходную позицию, словно и не обещал посмотреть то, что меня так волновало. Я понимал: никакие случаи исцеления его не убедят, все эти случаи соотнесутся с психотерапией, гипнозом... Но ведь засветка пленки была!

Рассказываю про эту засветку, но чувствую, что и эти мои слова не убеждают молчащего на другом конце провода главу науки.

«Какие еще могут быть аргументы? — думаю про себя. — Общечеловеческие!»

И выкладываю их:

— Ведь жалко человека, так старается, все силы отдает людям, а все без толку: говорят — мистика и шарлатанство...

— А вам не кажется, — с металлом в голосе вдруг заговорил президент, — что я тоже живой человек. Это не моя специальность! Медики ею занимаются, это их дела.

— Не занимаются они!

— Выберу время — посмотрю, — вот так закончил президент первый в новом году телефонный разговор.

Я встречал его с мечтой, что вскоре особняк во Вспольном переулке, принадлежавший некогда барону, перейдет к физикам.

Но дни шли, а никто не спешил оформить ордер на этот особняк. Побывал в нем даже директор института, он же вице-президент академии, который выкроил время, чтобы приехать в переулок и осмотреть дом.

— Он проникся, — кратко, с подобострастием резюмировал впечатления шефа будущий заведующий лаборатории, сообщив мне об этом визите.

Встретилась еще одна бюрократическая трудность. На какую должность зачислить Джуну? Работая при поликлинике Госплана, она числилась по штатному расписанию — «экспертом». В штатах Академии наук была возможность изыскать для нее должность «старшего инже-

С художником Ильей Глазуновым

нера», но после «эксперта» тщеславная целительница не хотела быть инженером, даже старшим. «Никаких младших лейтенантов!»

Вместе с физиками я несколько раз посещал снова исполком, пытаясь заполучить особняк. И во время этих визитов узнавал много нового, потому что это именно тогда физики рассказывали самое интересное, но не мне, а руководителям исполкома, убеждая их выделить для изучения «физических полей биологических объектов» особняк во Вспольном. Так, я узнал кое-что о неком Юрии Х., мною не виденном. Ему удалось рукой значительно улучшить зрение внуку видного академика в Ленинграде. Таким образом, у зарождающейся лаборатории появился еще один союзник в городе, где, как помнят читатели, жила Нинель Кулагина, продолжавшая волновать воображение руководства новой исследовательской организации. Но пока физикам было не до нее: места для экспериментов не было. Где находилось место «биополю», телекинезу, так это на страницах разделов газет и журналов, где изощрялись в юморе наши Ювеналы, со своей стороны формировавшие общественное мнение.

«Биополе останавливает лифт, в котором я еду, между этажами и гасит в нем освещение. Дверной замок не пускает меня домой», — шутит юморист вечерней газеты, той самой, чей редактор подлечил на моих глазах у Джуны ногу, хотя до встречи с целительницей не мог ходить без боли.

— Хорошая баба Джуна, — картавя говорил он мне при встречах, но на страницах своей газеты замалчивал ее многие годы...

«Новосел в синем тренировочном костюме стоял посреди гостиной и двигал мебель методом телекинеза», — писал фельетонист другой газеты, где феноменов много раз развенчивали в больших, на страницу, статьях.

«Телекинез — это телепатия, но только с чемоданами», — острил другой сатирик...

А физикам было не до смеха: им просто негде работать, аппаратуру, закупленную на выставке, развернуть оказалось негде, разместить штат новой лаборатории — негде.

Очередной визит в исполком не дал результата. Никто не отказывал в помещении, но и не давал его никто. Поймал себя на мысли, что веду себя как наивная некрасовская бабушка Ненила, когда-то жалеемая мною в детские годы. Наивная старушка всю жизнь надеялась, что в ее деревню когда-нибудь приедет барин и «все рассудит».

— Рассудит ли президент, когда приедет в лабораторию, да и приедет ли вообще?

Так или иначе, а направился я еще раз к телефону, откуда можно было звонить напрямую, минуя референта, иначе бы мне никогда не услышать в трубке голос главы науки...

На этот раз президент записал мою фамилию, имя и отчество, чтобы заказать пропуск в здание президиума. И назначил день встречи, через неделю.

Семь дней прошло в томительном ожидании. Но когда я уже собрался на прием, неожиданно позвонила референт Наталья Леонидовна, верный страж кабинета президентов в течение нескольких десятилетий. И, не скрывая удовлетворения, произнесла:

— Аудиенция отменяется!

Все. Утешало только то, что в этот день машина вице-президента, черная «Чайка», совершила поездку по Москве, чтобы осмотреть еще один пустующий дом. Сопровождал его заведующий лабораторией, для которой подыскивалось «нежилое помещение». То был Эдуард Эммануилович Годик, доктор физико-математических наук, давний сотрудник ИРЭ АН СССР.

Руководить лабораторией назначили физика, который был не только, как его охарактеризовал шеф, «крупнейший специалист в области физических измерений», но и, как я вскоре убедился, человек волчьей хватки, умелый организатор, умеющий находить выход из самой трудной ситуации. Так вот, Эдуард Эммануилович Годик обратил внимание во дворе старого университета на здание, занимаемое ныне Институтом нормальной физиологии Академии медицинских наук, получившим дом в наследство от бывшего здесь некогда медицинского факультета университета, ставшего, как известно, в результате преобразований Первым московским медицинским институтом. Обратив внимание на этот институт и его здание, доктор наук заинтересовал его руководство предстоящей работой и сумел получить у физиологов во временное пользование 80 квадратных метров подвала.

Я вспомнил про подвал другого московского дома на Садовом кольце, по Садово-Спасской, 19, где получил когда-то подвал инженер Сергей Королев со своими сотрудниками, организовавшими Группу изучения реактивного движения — ГИРД. Подвал — это уж что-то...

Затем случилось еще одно событие: Джуне выделили штатную единицу — должность старшего научного сотрудника.

— А это должность доктора наук, — прокомментировал мне важную новость доктор наук. Да, такие новости придавали силы.

Продолжались мои разговоры с академиком Юрием Борисовичем Кобзаревым, у которого я «подзаряжался» оптимизмом. От него впервые услышал такую легендарную историю.

...В детстве будущий президент академии жил в окружении тетушек, увлекавшихся спиритизмом. Им занимались в начале века многие, не только тетушки, но и дядюшки, что, как все помнят, отражено и высмеяно у Льва Толстого в «Плодах просвещения».

Тетушки будущего президента, располагаясь за столом с вертящимися блюдцами, вызвали дух Льва Толстого. Из чего можно заключить, что свершались эти сеансы после смерти писателя, в промежутке между 1910 и 1917 годами, когда будущему президенту АН СССР было от 7 до 14 лет.

По версии, слышанной мною от академика Кобзарева, глядя на игры тетушек, Анатолий Петрович говорил:

— Даже, если дух Льва Толстого и явится сюда, он не станет разговаривать с такими дурами.

Рассказывая эту историю московским школьникам в актовом зале МГУ, слова о глупости тетушек Анатолий Петрович вложил в уста отца. Возможно, такая редакция понадобилась из педагогических соображений, чтобы у собравшихся детей не воспитывалось пренебрежительного отношения к взрослым, и, придя с такой встречи домой, какой-нибудь московский школьник по примеру юного Анатолия Петровича не назвал бы свою тетю дурой.

Я с интересом слушал легенду о мистически настроенных тетушках, не подозревая, что вскоре мне о них расскажет сам президент.

А Юрий Борисович Кобзарев в те дни с не меньшим интересом узнал от меня историю о московском шофере-таксисте — некоей Тамаре С.

История меня так заинтересовала, что я решил проверить ее достоверность, а когда убедился в подлинности факта, сообщил о нем академику, а теперь читателям.

Однажды, возвращаясь домой на такси, Джуна познакомилась с шофером — миловидной женщиной средних лет Тамарой С. Случилось это так. Когда шофер услышала в своей машине ее имя, тотчас остановила такси. Сорвала с головы парик и стала умолять Джуну полечить ее от облысения. Шофер, Тамара, в молодости окончила инженерный институт, работала где-то с приборами, обладавшими радиоактивным излучением. И как ей казалось, по этой причине, она облысела 25 лет назад: сначала появились пятна, а потом и вся голова облысела. Это так подействовало на

Тамару, что она бросила работу по специальности. Пошла в такси, стала профессиональным шофером.

Так Тамара попала к Джуне. Та начала ее, как и всех, обмахивать руками. После семи посещений, как ни странно, у Тамары начали расти волосы! Отросли, как у девушки, — до плеч.

Приехала ко мне домой Тамара на такси без парика, спустя год после посещений Джуны. Приехала, чтобы показать прическу, но расстроенная: волосы снова стали постепенно выпадать... Вот видите, скажет непременно в этом месте скептик, значит, не излечила Джуна болезнь. Не спорю. Важно другое: воздействие оказалось настолько сильным, что облысевшая голова через десятки лет снова заросла. Это факт.

Что так подействовало на Тамару — энергия или внушение Джуны? Если есть в истории медицины факт, когда голова после многолетнего облысения вновь вдруг заколосилась отличными волосами под влиянием гипноза — значит, Джуна излечила Тамару внушением, не вводя ее в гипнотический сон. Если же такого случая никто не описал, то, наверное, стоит мне о нем упомянуть, быть может, он заинтересует специалистов. А может быть, все же подействовала на рост волос энергия Джуны?

* * *

...Наступил март, ордера все не было. Физикам предложили посмотреть еще три новых дома на трех улицах района, в том числе в Волковом переулке.

— За последний дом стоит подраться, — сказали доверительно в исполкоме. Это значило тратить время на посещения должностных лиц, составление писем, звонки по телефону...

— Мы задыхаемся, — говорил при очередной встрече профессор. Приборы теряют в подвале чувствительность на три порядка, то есть в тысячу раз.

Марчелло Мастрояни в гостях у Джуны

* * *

На дворе таял снег, наступала весна, а с нею и официальный праздник «Дня науки», отмечаемый в апреле. Полагая, что и у президента настроение праздничное, снова завел я разговор об обещанной встрече.

— Посмотрел я ваш материал, — имея в виду отправленные мною «отзывы», сообщил Анатолий Петрович, и в голосе его я не услышал энтузиазма.

Решился, с отчаяния, затронуть струну, дорогую сердцу президента, заговорив о Льве Толстом, дух которого вызывали сидя за столом со спиритическими блюдцами тетушки президента.

— Неплохо сделал Лев Толстой, — с удовольствием поддержал разговор президент, — жаль только, что теперь редко его пьесу «Плоды просвещения» ставят в театре, поэтому и развелось всего...

И в голосе резидента мне послышалось обычное дружелюбие. Однако в отношении рук Джуны президент оставался на прежней позиции:

— Это психотерапевтический эффект, многим можно помочь, давая плацебо. Вы знаете, что это такое?

Что такое плацебо, «пустая» таблетка, которая дается иногда больным, я хорошо знал.

— Нельзя ли все же на пять минут прийти к вам?..

— На пять минут можно, приходите, — получил я снова приглашение.

Президент не спешил на этот раз и подробно изложил свою точку зрения:

— Публикации, подобные вашей, дезориентируют людей. Газета имеет широкое распространение. До революции я много читал о спиритизме, и сейчас за границей издается много книг и журналов по астрологии и мистике...

— Анатолий Петрович, — видя, что у президента на этот раз найдется время услышать и мои доводы, говорю я. — Лет пятнадцать тому назад, когда мне предложили посмотреть телекинез, на то, как предметы перемещаются без прикосновения рук, я тоже в это поначалу не поверил. Три дня наблюдал за перемещением предметов на своем столе в университете Рэм Хохлов. Потом телекинезом интересовались во многих институтах. Вот только в академии никто не пожелал посмотреть. Вице-президент Константинов обещал было взглянуть, но так и не посмотрел, хотя человек, обладающий даром телекинеза, жил, как и вице-президент, в Ленинграде. Я понимаю, что и вас мне трудно будет в чем-то переубедить...

— Да, — согласился президент, — меня трудно переубедить, мне 79 лет, скоро умирать пора, — извините, что я так долго вас не принимаю.

Рассказал я в тот вечер и про то, как ходили мы с физиками по кабинетам, добывая ордер на помещение лаборатории, и о том, как под воздействием рук Нинель Кулагиной отклонялся луч лазера; факт, как мне казалось, все доказывающий. Мою информацию президент выслушал, а под конец сказал:

— Так приходите в понедельник...

Наступил понедельник.

Поспешил я в Академию наук, а пропуска нет.

— Я не в курсе, — ответила референт, — заказать пропуск не могу.

Мне ничего не оставалось делать, как вернуться на работу и позвонить президенту еще раз:

— Приходите 13 мая в 14 часов, — еще раз пригласил он. Снова все повторилось. Прихожу в академию, а пропуска нет.

— У президента совещание, передайте свои вопросы в письменном виде в канцелярию, — предложила референт.

И я написал. Но не вопросы. Басню.

ЛЕВ И ВОЛК

А. П. Александрову

Добился Волк аудиенции у Льва
Звонком в чертог.
У серого вскружилась голова,
И он, не чуя ног,
Рванулся за порог,
Но преступить его никак не мог,
Хоть скручивался весь в бараний рог,
Стирался в порошок.
Надежда Серого была на Льва:
Ходила про того молва,
Что юмор понимал.
А Волк за шутки пострадал.
И, глупенький, мечтал,
Что Царь взведет его на пьедестал.
Лев внял его мольбе
И пригласил к себе:
И раз, и два, и три!
Да позабыл, что есть секретари,
Тьма вице-президентов,
И куча референтов.
Пади, замри.
Не подходи!
Умри!
Того не может президент,
Чего не хочет референт.

Написано у Нескучного сада, в часы аудиенции
13 мая 1982 года.

Не знаю, понравилась ли басня президенту. Он только заметил, что сочинять басни мне ближе. Однако, не дожидаясь очередных просьб, решительно отказал:

— Мне сейчас не до Джуны. Есть дела поважнее!

И уехал из Москвы.

А Джуна в это время страдала от мысли, что никому в медицине и науке не нужна. Никакие уговоры не действовали. Ждать она не умеет.

Но 29 мая ей представилась возможность еще раз доказать, что она истинный феномен. В тот день ее пригласили выступить в клубе Института биофизики, далеко от Москвы, в Пущино, где располагается научный центр Академии наук СССР. За Джуной пришла машина. Она долго собиралась, тщательно, как всегда, одевалась. В праздничном настроении уехала.

Прибыла машина в Пущино, но вместо того, чтобы направиться к клубу, где ожидалось выступление, ее подвезли к входу в институт, ввели, ни слова не говоря, в лабораторию и предложили провести опыт на ... крысах. Естественно, что как всякий человек на ее месте, она оскорбилась, но что оставалось делать?

Итак, вместо зрительного зала Джуна оказалась в лаборатории, наедине с крысами.

Много было на следующий день горячих слов, сказанных по поводу организаторов «опыта».

— Разве бы я им отказала? Да я жизнь несу людям, я готова все отдать, чтобы им доказать — есть у меня энергия! Но почему они так со мною поступают! Мне уже ничего не надо...

Из Пущино Джуна уехала разбитая, но довольная. Потому что ей вручили наспех написанный «Протокол опыта, проведенный Джуной Давиташвили по воздействию на крыс».

А сказано в нем вот что:

«Крысы беспородные, 2 штуки были подвержены иммобилизационному стрессу в 9.00. Перед иммобилизацией была измерена ректальная температура. В процессе иммобилизации измерялась ректальная температура, снижение которой наблюдалось. После 19 часов перед началом воздействия опять была измерена температура, затем температура измерялась в процессе воздействия, длящегося около десяти минут, сразу после воздействия и спустя два часа. В процессе воздействия наблюдалось повышение температуры у крысы с меньшим падением на 0,5-0,6 градуса, у крысы с большим падением на 0,9 градуса. Данные приведены в таблице. Спустя два часа после опыта температура опять упала».

Из этих слов и приведенной таблицы следовало, что две крысы, нормальная температура которых была 38,4 градуса и 38,2 градуса, подверглись лабораторным истязаниям, после чего температура у них резко — у одной почти на градус, а у другой на полградуса — упала. К вечеру первая крыса примерно вошла в норму, у нее было 38 градусов, а другая так и не пришла в себя — у нее было 36,3 градуса.

Десять минут колдовала Джуна над бедными крысами. В то время, как в переполненном зале несколько сот человек ждали начала ее выступления, она, забыв обо всем, склонилась над крысами, лежавшими на доске с привязанными лапами, водила над ними руками. Крысы реагировали бурно. Как сказано в протоколе, после начала воздействия они «дергались, а потом успокоились».

В течение десяти минут, пока Джуна воздействовала на крыс, им одной пять раз, а второй семь раз меряли температуру. Она на глазах росла. После того как опыт закончился, еще раз померяли температуру. У первой она была 38,6 градуса. У второй 37,1 градуса. А в девять вечера соответственно 37,8 и 36,8.

«Ранее в опытах самопроизвольного подъема температуры крыс в процессе стресса не наблюдалось».

Кто же подписал этот протокол? Хотя свидетелями его были многие ученые, доктора и кандидаты наук, смелости подписать документ хватило только у младшего научного сотрудника, кандидата биологических наук Е. Б. Окон.

У докторов наук, старших научных сотрудников, участвовавших в проведении этого опыта, гражданского му-

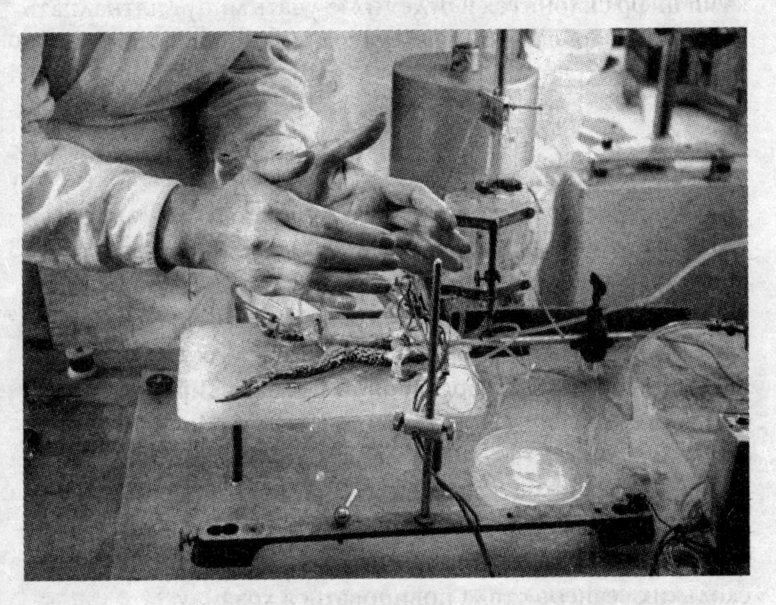

Воздействие энергией рук на лягушку

жества, необходимого, чтобы поставить подписи под протоколом, не хватило. Младшему научному сотруднику, как пролетарию умственного труда, терять было нечего.

Поставив под двумя рукописными страницами подпись, младший научный сотрудник, конечно, не предполагала, что спустя семь месяцев над листиками, над столбиками цифр склонится и будет их изучать минут пятнадцать в тишине, нарушаемой боем часов, президент академии.

* * *

Поиски дома затягивались.

К председателю очередного райисполкома мы ехали на этот раз вчетвером: кроме двух физиков и меня, в машине восседал, надев парадный мундир, вице-президент Академии наук Армянской ССР депутат Верховного Совета республики, Герой Социалистического Труда, лауреат Ленинской и Государственной премий, директор одного из московских институтов Андроник Иосифьян. Как оказалось, он очень заинтересовался проблемой, которой собирались заниматься физики. Не так давно близкий ему человек, профессор, побывал у Джуны и успешно полечил руку, пораженную тяжелой болезнью... Рука после нескольких сеансов стала повиноваться хозяину.

Пока мы сидели в приемной, А.Г. Иосифьян успел рассказать мне, что феномены — экстрасенсы, как он считает, умеют примерно то же, что кошки и собаки: они видят в инфракрасном диапазоне, поэтому различают так называемую ауру. Этими же лучами, частота которых 7-9 герц — а это длинные волны, они несут информацию, воздействуют на людей...

Председатель исполкома, несмотря на столь представительный состав, принял нас довольно холодно, узнав, какими делами собираются ученые заниматься. Он с места в карьер сказал, что встречал уже не раз людей, искалеченных такими, как Джуна.

— А мы ее хотим разоблачить, — в тон ему ответил Юрий Гуляев, в награду за находчивость получив еще один адрес пустующего дома, за который предстояло «драться».

* * *

Джуна, не дождавшись лаборатории, уехала в Самарканд. Известный кинорежиссер Ильер Иш-мухамедов предложил ей сыграть роль в фильме «Юность гения». Фильм посвящался юности Авиценны, великого врача Востока. Джуне режиссер предложил сняться в роли целительницы по имени Юния, то есть самой себя.

Юния по ходу фильму показывала Авиценне, как она воздействует своими руками на людей.

Я видел этот эпизод, не вошедший в окончательный вариант фильма, на просмотре в Доме кино. Видно было, что актеры вначале поднимали руки по просьбе Юнии-Джуны без особого интереса, полагая, что все, что им покажет Джуна, — в лучшем случае плод фантазии сценариста и режиссера. Спустя несколько секунд актеры ощутили «покалывание», на лице каждого отразилось не наигранное, а натуральное изумление. Этот эпизод, как многие другие, пришлось сократить, вырезать по настоянию научного консультанта, действовавшего от имени Минздрава. В тот самый день, когда я спешил в приемную председателя исполкома с физиками и с примкнувшим к ним А.Г. Иосифьяном, на нашем пути случайно оказался лучезарный Эдуард Наумов, познакомивший, как помнит читатель, меня с моей героиней. Он вручил давно обещанную книгу на английском языке. Называлась она «Мысленное радио». Написал ее в двадцатые годы не кто иной, как известный писатель Эптон Синклер. Посвятил не беллетристике, которая прославила его имя, а телепатии, передаче мыслей на расстоянии. С фотографии в книге смотрела красивая женщина, как оказалось, жена писателя. Она-то и была известным в свое время феноменом, способным воспринимать на большом расстоянии образы предметов, которые передавались ей другим феноменом. Рисунки этих предметов, похожие на рисунки детей, украшали страницы книги. Но самым интересным для меня был не текст Эптона Синклера, а предисловие, написанное к книге его другом, Альбертом Эйнштейном.

После того как очередное свидание с должностным лицом закончилось, мы сели на скамейку в сквере, и доктор наук перевел с английского текст этого небольшого предисловия.

Альберт Эйнштейн с почтением относился к занятиям друга, увлекавшегося опытами по телепатии, и рекомендовал книгу читателям, выразив уверенность, что она представит интерес не только для тех, кто интересуется телепатией, но и для специалистов в области других наук. Тут я вспомнил, что Вольф Мессинг в своих записках также упоминает имя Альберта Эйнштейна: с ним его познакомил знаменитый Зигмунд Фрейд, когда наш телепат жил за границей.

Мне казалось, что, узнав о мнении Альберта Эйнштейна, самого знаменитого физика нашего времени, президент АН СССР проявит больший интерес к встрече со мной.

— Анатолий Петрович, — после обычного приветствия начал я, — хотелось бы показать вам книгу «Мысленное радио» Эптона Синклера. Предисловие к ней, как ни удивительно, написал Альберт Эйнштейн.

— Но сам Эйнштейн не изучал это ваше «мысленное радио», — мгновенно отпарировал президент.

— Что неясно — мы будем изучать, а что противоречит законам науки — не будем.

На этом закончился очередной телефонный разговор. После того как трубка президента решительно легла на рычаг, моя надежда на встречу с ним растаяла, как дым на ветру.

* * *

Хождение по инстанциям вместе с физиками, однако, продолжилось. Когда я во время этих хождений и поездок, сидя в машине, рассказал однажды профессору про недавний эксперимент Джуны с крысами, он, обернувшись ко мне с переднего сиденья машины, решительно сказал:

— Мы ее берем!

Это была новость, но только для служебного пользования. Никакой другой журналист не знал об этом решении физиков.

Разоблачительные статьи об экстрасенсах, между тем, появлялись, как прежде, словно никакой научной программы с таким многозначительным названием не существовало. Вот почему Джуна впадала в уныние, разражалась упреками.

— Почему никто не скажет: она не мошенница, не аферистка, там есть капля науки?

— Почему меня не оформляют на работу?

— Что вы меня, как Королева, держите в тайне? Тогда дайте звание академика.

— Одна овца не может накормить вольчю стаю...

— Нервы не выдерживают, никакой жизни мне!

— Уйду в монастырь!

Вот такие страсти обуревали тогда Джуну.

Облегчало положение только то внимание, какое продолжали уделять новому делу профессор и доктор наук, с каждым днем все сильнее втягивающиеся в хлопоты, организационные дела. Измерять физические поля, заниматься прямым делом у них не оставалось ни минуты. Все время на моих глазах доктор наук проводил в бегах, переговорах. Он набирал сотрудников, обживал полученный в аренду подвал Института физиологии, предполагая здесь начать долгожданные опыты в конце года.

И в это же время, когда всего не хватало, когда ничего не было готово для экспериментов, профессору, доктору наук его друзья-физики, узнав, чем он собирается заниматься, говорили при встречах:

— Все это распутинщина!

В те дни я убедил физиков побывать в гостях у Джуны, чтобы посидеть, поговорить, пообщаться — ведь им предстояло вскоре быть сотрудниками...

В тот раз, как летом минувшего года, приняла Джуна физиков хорошо. Это была всего третья ее встреча с профессором. За столом я узнал, что при первой встрече Джуна, воздействуя на фотоумножители, вывела из строя два из них. Перед тем как сесть за стол, профессор, не то шутя, не то серьезно, попросил его подиагностировать. Хозяйка внимательно прошла пальцами по телу и нащупала как раз то самое место, где находился болевой очаг. Профессор, по его словам, почувствовал тепло от рук Джуны. До того дня он мне не раз говорил, что ничего не чувствует: ни тепла, ни холода, ни покалывания от ее рук.

— Чудеса в решете, — сказал профессор с удивлением, усаживаясь за стол.

— Да, но если я почувствовал тепло от рук Джуны, то и мои приборы должны это почувствовать! — выкликнул профессор.

За столом он показал листок из блокнота, хранимый в записной книжке. На листке я увидел семизначные цифры — номера телефонов, а кроме того рисунок — кружок со вписанным треугольником. Эти цифры и знаки, оказалось, начертаны рукой Нинель Кулагиной в лаборатории Института радиотехники и электроники в ожидании задерживавшегося профессора. Когда он явился в лабораторию, Нинель дала на память этот листок, сказав, что номера и знаки увидела на расстоянии... Она даже проставила перед каждым номером буквы «д» и «р», что значило: телефон домашний или рабочий. Юрий Гуляев вынул из кармана пиджака блокнот, и оказалось, что номера теле-

На съемках фильма «Юность гения»

фонов, записанных Кулагиной, совпадают с теми номерами, что были на страницах книжки. В ней же были кружок и треугольник, только начертанные на разных страницах.

Нинель Кулагина на своем листке совместила их. Впрочем, на разных страницах книжки были записаны и номера телефонов профессора, а Нинель Кулагина совместила их на одном листке бумаги.

Как объяснить этот загадочный дар? Этого не знал, конечно, ни хозяин книжки, разработавший программу «Физические поля биологических объектов», ни режиссер, снявший фильм об Авиценне, ни я, пишущий о феноменах. Никто не знает.

А факт бесспорный.

— К этому мы неизвестно, когда и подступим, — честно признался профессор.

Вот за эти моменты искренности я готов был ему простить все колебания, даже ссылки на фокусника в тот день, когда стоял он один на один против возбужденной толпы физиков в ФИАНе, где, по-видимому, по сей день относят телекинез к выдумкам легковерных журналистов.

Я не стал бы так подробно вспоминать ту встречу, если бы она не была деловой. Физики попросили Джуну помочь им получить помещение лаборатории, поскольку их усилий и моих оказалось мало. И еще: физики пригласили ее посетить подвал Института физиологии, где завершалась установка аппаратуры, на которой ей требовалось доказать свое физическое воздействие на биологические объекты.

* * *

И мне физики пошли навстречу. Посетили, как давно обещали, редакцию «Комсомольской правды», рассказали о своей работе, узнал я тогда, что, экспериментируя с Нинель Кулагиной, приглашали они в лабораторию знаменитого иллюзиониста Акопяна-отца. К его консультации в таких случаях, как известно, обращались не раз. Увидев, что делает испытуемая, Акопян-отец признался, что смотрел все с интересом, но как она все делает — не знает. А она на его глазах рассеивала луч лазера, естественно, не прикасаясь к нему. И еще профессор заявил в редакции, что не согласен с академиком Зельдовичем, который утверждает, что раз науке известны все физические поля, то и Джуну в Академии наук изучать незачем.

— В науке нет авторитетов, — горячо и с пафосом говорил профессор, — если бы они были непререкаемы, то наука бы умерла.

Обо всех наших визитах, хождениях, поездках по Москве Джуна хорошо знала. Но ей хотелось все получить сразу: и лабораторию, и работу, и публикацию. Но ничего пока реального не было; одни разговоры и обещания. Поэтому не проходило дня, чтобы она не начинала бурно фонтанировать, извергая потоки слов:

— Нужно сделать такой эксперимент, чтобы мир гремел!

— У них души нет!

— Еще десять лет пройдет, а научной подоплеки не будет, ничего ученые не откроют, ничего они не знают!

— Мне государство доверяет, я люблю свою родину, а ученые не доверяют, не хотят работать! Они — враги народа.

И наконец:

— Я умираю!

Впрочем, выглядела Джуна всегда при этих вспышках великолепно: глаза горят огнями, руки как крылья. И вся — как фурия.

— Я должна войти в таблицу Менделеева!

Не знаю как в таблицу Менделеева, но в историю науки она входила. Ее энергия передавалась всем, кому следовало разобраться с феноменом по имени Джуна.

После посещения редакции у меня начались новые заботы. Редакция решила, что нужно подготовить для печати беседу с «профессором Ю. Васильевым», обобщенным образом двух физиков — Юрия Гуляева и Эдуарда Годика. А к тексту беседы добавить имевшиеся «отзывы» академиков. Что я и сделал, отнеся текст в подвал института, чтобы там его отредактировали.

Просторный подвал заполняло все больше импортных приборов. И людей. В углу у окна расположился стол руководителя лаборатории. За этим столом иногда появлялся доктор наук. За этим столом он прочел мою «беседу». Затем начал править. Потом редактировал этот же текст профессор. Прошло еще несколько дней. Отредактированный материал показали наверху — самому директору Института радиотехники и электроники.

Вот этот выстраданный текст, который набрали в типографии летом.

«ФЕНОМЕН ИЗУЧАЕТСЯ

Прошло два года с тех пор, как «Комсомольская правда» рассказала о феномене Джуны (Е.Ю. Давиташвили), а в редакцию продолжают поступать письма читателей, проявляющих большой интерес к описанному явлению. Научное объяснение ему дал тогда известный советский ученый Герой Социалистического Труда академик Ю. Б. Кобзарев (см. номер газеты от 16 августа 1980 года), поставивший, в частности, вопрос о необходимости глубоких исследований загадочного феномена. В связи с этим учительница физики А.П. Никифорова из Москвы задает вопрос: «Подтвердились ли за это время факты, описанные газетой, исследуются ли они физиками?». На этот вопрос мы попросили ответить профессора, доктора физико-математических наук Ю.В. Васильева, специалиста в области физических измерений.

— Да, феномены, о которых идет речь, исследуются учеными, хотя еще бытует мнение, что их должны разгадывать фокусники. По нашему мнению, выяснение феноменов следует искать в сложной картине физических полей (электромагнитных, акустических), возникающих вокруг любого биологического объекта, в том числе человека, и связанных с жизнедеятельностью. Естественно, что в принципе возможны и различные особенности в пространственном и временном распространении таких полей, тем более знаменательных, чем реже они встречаются.

Мы не согласны с мнением ряда ученых о том, что обычные электромагнитные поля вокруг человека хорошо изучены. Это далеко не так. Дело в том, что сигналы физических полей человека, как правило, слабы. Для их выделения на фоне больших промышленных и геофизических помех необходимо использование, а в ряде случае и разработка новой самой современной радиофизической аппаратуры. При этом важно (что наиболее трудно) получить достаточно полную картину физических полей, их распределение в пространстве и во времени, связь с психофизиологическим состоянием человека. Несомненно, эту задачу физикам необходимо решать в тесном контакте с биологами, физиологами, психологами, специалистами разных отраслей науки.

Из сказанного видно, что выяснение природы феноменов — комплексная задача, которая должна решаться научными методами. Обсуждение ее в данный момент в массовой печати преждевременно и только мешает работе».

Вот так высказали свое кредо мои друзья физики. Далее цитировались уже известные читателю отзывы академиков В. Котельникова, В. Трапезникова, А. Тихонова, Б. Патона. А академик Леонид Леонов написал такие слова:

«Подобно тому, как некогда непобедимые, казалось бы, армии обходили до поры (пока не сдадутся сами) встреченные на пути неприятельские крепости, а в наше время войсковые отряды тоже бывают вынуждены в стремительном натиске миновать минные поля или особо каверзные дзоты, точно так же, на мой взгляд, современная большая наука нередко оставляет у себя в тылу кое-какие неприкасаемые, тем не менее, очевидные тайны, заслуживающие именно нашего фундаментального исследования».

Наконец слышу радостную весть:

— Лев, меня зачислили старшим научным сотрудником — доктором наук!

Это означало: Джуну наконец-то зачислили в штат Института радиотехники и электроники на должность старшего научного сотрудника, которую обычно занимают люди, имеющие степень доктора наук. Это случилось в начале сентября.

Со слов Джуны написал ее автобиографию, которую требовалось представить в отдел кадров. Вот она.

«АВТОБИОГРАФИЯ

Я, Давиташвили Евгения Ювашевна, родилась в деревне Асирск Курганинского района Краснодарского края 22 июля (год опускаю), в семье колхозника. Мой отец, Сардис Юваш Иосифович, умер в 1960 году, мать, Якубова Татьяна Александровна, колхозница, умерла в том же году. В нашей семье было пятеро детей, которые в настоящее время работают в Краснодарском крае. Закончив учиться в школе, переехала в Армавир, а затем в Тбилиси, где работала в тресте ресторанов на разных должностях: буфетчицей, заведующей кафе. В 1979 году окончила факультет здравоохранения народного университета г. Тбилиси, получила диплом медсестры. В том же году поступила медсестрой в высшую спортивную школу общества «Динамо» города Тбилиси, где работала два года.

В 1980 году переехала на постоянное место жительства в Москву и работала экспертом хозяйственного управления Госплана СССР, консультировала пациентов поликлиники Госплана СССР. Все это объясняется тем, что в детстве у меня обнаружились необъяснимые способно-

Джуна — старший научный сотрудник ИРЭ АН СССР

сти диагностировать болезни, а также исцелять методом «наложения рук», без контакта с телом пациента. От моих рук исходит энергия, ощутимая в виде тепла, похолодания или легкого покалывания, как от слабого электротока. На международном симпозиуме психологов по бессознательным процессам, проходившем в Тбилиси в 1980 году, я демонстрировала свои способности.

Кроме того, с группой американских специалистов, участвовавших в симпозиуме, провела эксперимент по засвечиванию фотопленки в конвертах. До этого много лет сотрудничала с разными медицинскими учреждениями Тбилиси, диагностировала и лечила больных, получив много письменных свидетельств моих пациентов. Такая работа шла в железнодорожной больнице, онкологической больнице и других лечебных учреждениях. Со мной проводили опыты ученые Тбилисского университета и других институтов, о чем сообщалось в грузинской печати.

В Москве проводила опыты в МГУ, три месяца совместно с врачами Консультативного центра Фрунзенского района города Москвы лечила больных, о чем сообщалось в «Огоньке» (см. № 17 за 1981 год). Писала обо мне «Комсомольская правда» (16 августа 1980 года), я демонстрировала свои способности многим ведущим ученым страны, а также в разных лабораториях Москвы. Живу на улице Викторенко, 2, кв. 3. Имею сына Вахтанга семи лет.

Джуна».

13.09.82.

* * *

Лед тронулся: деловой визит физиков к Джуне имел последствия. Их пригласили посмотреть пустующее помещение школы на окраине Москвы в Крылатском. На следующий день доктор наук, академик А.Г. Иосифьян, снова нашедший время для такой поездки, и я отправились на эту московскую окраину. Долго мы колесили по велотрассам и холмам в поисках затерявшейся школы. Искали долго и так далеко, что заехали на Можайское шоссе.

Где же школа?

Снова вернулись в Крылатское и за одним из глухих заборов нашли здание бывшей сельской школы. Она была довольно просторная, двухэтажная, но уж очень отдалена от центра, от Института радиотехники и электроники. Академик Иосифьян предлагал не отказываться от здания, посоветовал его сломать и на его месте построить новое. Но он не знал, что земля в Крылатском отводилась на расширение спортивных сооружений, так что школа была бесперспективной. Пришлось от нее отказаться.

Нового адреса для лаборатории пока не было.

И материал мой в газете не двигался.

На дворе царила осень. В голосе неунывающего доктора наук не стало прежнего оптимизма.

— Глухая ситуация. В помещении нам опять отказали.

— Сидим в дыре...

В довершение ко всем неудачам у Джуны заболел сын.

— Из-за науки не усмотрела за сыном, пожертвовала им!

— Мне все надоело!

— У меня будет свой институт, не нужна мне их лаборатория!

— Я кровь и здоровье им отдала!

— Сниму квартиру, буду работать у себя дома!

И так далее, все в том же духе. Джуна, забыв, что я журналист — статьи-то за год ни одной не было! — считала меня чуть ли не сотрудником академии. Ругала физиков, доставалось мне.

— Разбейся, Лев, а статью напечатай, — умоляла Джуна.

Этого я сделать не мог.

А вот помещение институт получил, и не где-нибудь на окраине — в центре. У физиков в подвале сломался телефон. Дозвониться к ним из Моссовета не смогли. Позвонили мне. Так я первый узнал: лаборатории выделяется два этажа дома № 8 по Старосадскому переулку. За ордером нужно прибыть 21 октября. Третий этаж получили позднее, во время визита в лабораторию первого заместителя председателя исполкома Моссовета Сергея Михайловича Коломина.

Все было на сей раз не так, как прежде. Не пришлось больше «драться» за дом. Да, Джуна помогла физикам в который раз. Неизвестно, сколько бы еще времени пришлось «драться», безуспешно ездить по окраинам и глухим переулкам, если бы секретарь МГК партии Игорь Николаевич Пономарев, ведавший строительством, городским хозяйством и распределением жилья. Он дал указание чиновникам срочно найти физикам здание в центре. Рядом со станцией метро, невдалеке от Института радиотехники и электроники, располагался в Старосадском переулке, 8, старинный особняк, занимаемый прежде лабораторией кардиологического центра, получившего на окраине новые корпуса. Его старое здание и предложили созданной лаборатории без названия под номером 173.

Все тогда оформили быстро, без волокиты. Ордер выписали на имя доктора наук Э. Э. Годика.

— Почему не на мое имя? — возроптала Джуна, но, услышав объяснение, что это формальность, помещение будет принадлежать не ему, а Институту радиотехники и электроники, где она числится старшим научным сотрудником, успокоилась...

Все, казалось бы, вроде стало улаживаться. Неожиданно нервы сдали — у уважаемого профессора.

— Зачем мне все это нужно, — вопрошал он в связи с появившейся очередной статьей об экстрасенсах, где фигурировали рядом с ними милиция и судьи. — Зачем мне Джуна, и до нее доберутся. Есть у меня своя область исследований, уеду я в Саратов (там у него тоже институт). У президента ко мне отношение плохое; как к несерьезному человеку. А мне еще предстоит баллотироваться в академики...

Это все я выслушивал в полночь, по телефону. А на следующий день машина «Чайка» за № 0101 от дверей Института радиотехники держала курс в Старосадский переулок, чтобы директор мог осмотреть здание, представленное для изучения «физических полей биологических объектов».

За тяжелой деревянной дверью в вестибюле высокие потолки поддерживали атланты, чудом сохранившиеся, как и высокие настенные зеркала — остатки былой роскоши особняка. Всего было на первом этаже комнат десять, и среди них — отличный зал с лепным потолком.

— Достоинство этого помещения в том, что на него уже выписывается ордер, — удовлетворенный увиденным, констатировал директор института и вице-президент АН СССР.

Это было 21-е по счету здание, которое успели осмотреть представители института, причастные к «нежилому» помещению.

Его предстояло теперь капитально отремонтировать. С потолков угрожающе свисала лепнина, готовая в любой момент рухнуть на сетки, кое-где страхующие головы людей.

* * *

25 октября еще одна радость: Джуну пригласили для исследований в лабораторию Первого медицинского института. На этом эксперименте я не был. Со слов Джуны, все выглядело так: посадили ее в отдельную камеру: улавливали сигналы. Спрашивали, что она ощущает...

Джуну больше всего взволновало то, что один из сотрудников лаборатории, якобы после ее очередного воздействия, изменился в лице.

И здесь поступили примерно так, как в университете: штаты для изучения феномена Джуны получили, но вскоре приглашать ее перестали, а о результатах исследований никто по сей день не знает ничего.

— Видел бы ты, как один вылетел из комнаты пулей, а другой стал бледный...

Информацию Джуны руководитель лаборатории мединститута никак мне комментировать не стал, ушел от разговора. Но я надежды на порядочность ученых не терял: профессор меня тогда даже утешил так:

— Лев, мы получили площадь, и это главное.

Мы поставим эксперимент и тогда побледнеют все. Годик — специалист мирового класса по оптике излучений. У нас большая ответственность. Все то, что делают, — ничто. Те работы, что выполняются, не чистые. К ним доверия нет. В печать их не примут. Никто, сегодня не представляет, что и как нужно делать.

Это означало: профессор все, что нужно, представлял. Он опять готов к действиям и уже не собирается все бросать. И не уедет на Волгу...

Пока оформлялся ордер на помещение лаборатории, шла напряженная работа и в подвале Института физиологии. Настала пора рассказать подробнее о нем.

Две довольно просторные комнаты за несколько месяцев после того, как они перешли во временное пользование измерительной лаборатории, заполнились самыми современными приборами. У входа встречал экран цветного термовизора (похожего внешне на обычный телевизор) — прибора, на котором уже однажды Джуну проверяли в Институте рефлексотерапии. На экране в цвете можно увидеть лицо, руку, любую часть тела. Причем меняется, скажем, температура руки — меняется на глазах и цвет ее изображения. В эту же комнату каким-то образом втиснули вычислительную машину. В другой смонтировали экранированную камеру. Раздобыли кожаное медицинское кресло, где мог удобно расположиться для

На бетонном фундаменте будущей лаборатории

опытов любой человек. Была еще масса каких-то приборов. Под ногами у входа громоздился баллон с жидким азотом, из него шел белый пар. В общем, появилась нормальная физическая лаборатория. А то, что она ютилась в подвале — кого это в Москве могло смутить? Я видел вывески столичных институтов на зданиях, которые в других городах представляются в лучшем случае для мастерских металлоремонта, изготавливающих ключи и затачивающих коньки.

В этой-то лаборатории по официально утвержденной государственной программе началось исследование феноменов. И первой сюда пригласили не Джуну. А Нинель Кулагину. Физики решили начать с нее потому, что никто в мире не обладает такими странными физическими полями, как этот биологический объект — домохозяйка из Ленинграда, мать троих детей, бабушка шестерых внуков.

Приехала из Ленинграда в Москву Нинель Кулагина «Красной стрелой», утром. Пригласили ее официально, вызовом Института радиотехники и электроники, приехала она, как обычно, вдвоем с Виктором Васильевичем, мужем. Его тоже официально вызвали, потому что он работал на судостроительном заводе, где так просто отгулы не дают. Но вот с гостиницей институт сплоховал, не смог получить нормальный номер в центре для пожилых Кулагиных. Пришлось физикам обратиться за помощью ко мне. Так я узнал о первом эксперименте в подвале, который хранили в тайне даже от меня.

Хоть и обиделся, бросив свои дела, занялся этим невеселым промыслом. Пока я хлопотал, Кулагины пили чай в гостях у академика Юрия Борисовича Кобзарева. Так они вновь оказались в доме, где Нинель когда-то впервые за обеденным столом показала академику поразивший его телекинез.

Поселившись в высотной гостинице «Ленинградская» как гости АН СССР, Кулагины направились отсюда в подвал Института нормальной физиологии, где в тайне от «старшего сотрудника» лаборатории Джуны Давиташвили началась долгожданная работа с экстрасенсами. Почему в тайне? Да потому, что узнав о них, «с. н. с.» явилась бы в подвал и... что бы случилось — не знаю, кое-какая бы аппаратура, особенно хрупкая, могла бы пострадать. В чем-то ведь она была бы права.

Кто из феноменов выстрадал эту лабораторию, кто сделал для появления ее на свет больше, чем она? Никто.

Опыты длились дня три. В последний день, в субботу, в подвале, я застал в коридорах много народу. Люди набились в две комнаты лаборатории, где Кулагину встретили во всеоружии современной аппаратуры. Кроме физиков, принимали участие в опытах физиологи, врачи в белых халатах. Наконец-то Нинель удостоилась настоящего внимания науки.

Я приоткрыл дверь и увидел у входа чайник с кипятком, торт, свежие булочки. Все это меня радовало даже больше, чем сам опыт.

Слушаю, мало что понимая:

— Выброс был...

— Эффект сумасшедший!

— У нее предынфарктное состояние...

— Фронт нечеловеческий...

— Магнитное поле изменилось...

Выпила на моих глазах Нинель чашку крепкого чая. И повели ее в экранированную тонкой решеткой комнату, посадив, как зверя в клетку.

— Состояние телекинеза не приходит, — раздается чей-то голос.

— Может быть, сделаем без движения, — спрашивают у Кулагиной, имея в виду — не обязательно, чтобы поставленные перед ней предметы пришли в движение.

— Почему же без движения? — слышу обиженный голос гордой Нинель.

Так прошло в томительном ожидании минут двадцать, напомнивших мне опыты в Московском университете на кафедре академика Хохлова. Но теперь никто не искал невидимых нитей и спрятанных магнитов.

Что происходило за стеной камеры, я не видел из-за тесноты. Вдруг всполошились врачи. Потом и сама Кулагина выбежала из камеры, упав на руки врачей. Ее, поддерживая по сторонам, увели. Вот так наука требовала жертв, получая взамен открытия от тех, кого молва считала шарлатанами.

Не стал я спрашивать ни у кого: показала ли Нинель еще раз свой знаменитый телекинез. Видел только, что все в подвале остались работой ее довольны. Видел я на экране прибора, похожего на маленький экран телевизора, как плясала светящаяся кривая линия, очерчивая контур некоего горного хребта. Эта живая линия о многом говорила физикам, и они, записав информацию на видеомагнитофон, несколько раз прокручивали светящуюся пляшущую линию, внимательно просматривали ее, а потом остановили, зафиксировали изображение. Оно замерло на экране, как зримый символ случившегося.

На следующий день я спросил у академика Ю. Б. Кобзарева, как прошел опыт. Он ответил так:

— Нинель Сергеевна выдала в лаборатории удивительный результат на очень сложной аппаратуре, но это не так убедительно, как то, что она делала несколько лет тому назад, у меня за столом...

После того, как эти опыты закончились, я встретился с Кулагиными. Виктор Васильевич рассказал, как дали Нинель Сергеевне 15 конвертов с цветными полосками. Она отгадала цвет полосок во всех конвертах без ошибки. Давал он ей в конверте рентгенограмму, вчетверо сложенную. На пленке оставались ее следы, она как бы засвечивала пленку рентгенограмм. То есть делала примерно то же, что Джуна по просьбе американцев в Тбилиси...

При том, что вице-президент направил письмо руководителям города, отношение к Нинель Сергеевне оставалось в обществе враждебным. О ней продолжали писать разные небылицы. Родители-старики, не выдержав позора, уехали из Ленинграда.

— Как опыты, так Кулагина, как на работу, так Джуна, — прореагировала Нинель на мое сообщение, что Джуна зачислена старшим научным сотрудником лаборатории. И уехала, довольная произведенным эффектом, в Ленинград, где также экспериментировала в нескольких институтах без всякой огласки, особенно много и плодотворно в Ленинградском институте точной механики и оптики (ЛИТМО). Но в родном городе никто не решался о ней писать.

И в Москве сообщить в печати, что она феномен мирового класса, что изучают ее в Академии наук СССР, не фокусник, не мистификатор, а нормальный, хороший она человек, страдающий от несправедливости, я при всем моем желании — не мог. Вот как бывает, когда в обществе нет гласности.

Некомпетентные, неинформированные люди, мнившие себя борцами со лженаукой, хранителями чистоты материалистических взглядов располагали возможностями неограниченными. И писали, что хотели.

Словно подождав, пока опыты в подвале завершатся, они нанесли торжествующей Нинель еще один удар. Вновь появилась статья, высмеивающая Кулагину, на сей раз в «Медицинской газете», под которой стояла подпись профессора И.Т. Акулиничева. Можно было ожидать появления разоблачительной статьи и о «старшем научном сотруднике»...

* * *

Что делать? Кто надежно прикроет, защитит экстрасенсов?

Логично было бы ожидать, что Институт радиотехники и электроники выступит немедленно с опровержениями, скажет доброе слово об обладательнице телекинеза, по которой не в первый раз били наотмашь профессора, оскорбляя ее честь и достоинство, причиняя боль большой родне. Ведь именно в нем исследовали дар Нинель, именно в нем числилась в штате Джуна, именно в нем такие люди как они должны были изучаться! Кому как не директору, вице-президенту академии оградить таких людей от нападок?

К тому времени я уже хорошо знал этот институт, его массивное здание, стянутое стальными прутьями, чтобы стены не развалились от ветхости. Не раз поднимался по широкой лестнице на верхний этаж, где находится кабинет директора, знал его сотрудников. Мог с их помощью заказать пропуск в институт. Более того, за меня ходатайствовал заместитель директора профессор Юрий Гуляев, даже убеждал принять меня. Но директор был непреклонен. Увидеть не пожелал, защитить феноменов — тоже.

— Если появится статья, то сразу же прозвучит залп других статей, ее опровергающих, — такими словами директор института объяснял свою позицию.

Вот почему я снова набрал номер телефона президента Академии наук СССР.

— Публикаций, по-видимому, никаких делать не следует. Из ваших слов явствует, что явление есть, и нужно ждать открытий, а вот вице-президент Котельников говорит: никаких явлений не обнаружено.

А как же недавние опыты в подвале с Кулагиной? «Выброс», «сумасшедший эффект»? Все, что я видел и слышал в лаборатории? Это же было? Не где-нибудь, а в том самом институте, где директорствовал вице-президент!

— Прежние публикации возбудили нездоровые тенденции, — объяснил президент, — часть людей бросилась сломя голову к экстрасенсам, да и Джуна ваша лечит с переменным успехом.

— Но все-таки лечит, — не сдавался я. — Ведь многие врачи подтверждают — взгляните на эти материалы!

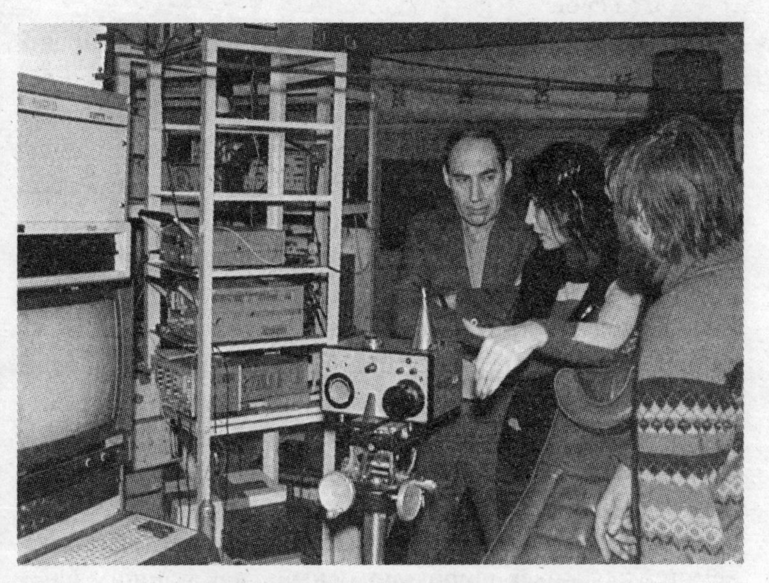

Джуне нравилась служба в ИРЭ АН СССР

— Вы слышали что-нибудь о комете Галлея? — спросил меня президент. — Так вот, о ней, как и о вашей Джуне, не следует писать, чтобы не будоражить население. Может, комета Галлея, приближаясь к земле, и не заденет нас хвостом, а может, и заденет, кто его знает. А паника среди людей начнется, если писать об этом.

А я за свое:

— Защитите Нинель Кулагину, она же великий феномен. Ее чтят во всем мире, едут из Австралии только для того, чтобы на нее посмотреть, едут из США, всех стран Европы. А дома она слывет шарлатанкой. Она ведь на днях приезжала в Москву, в институт академика Котельникова, между прочим. И предметы движет, и стрелку компаса крутит, и луч лазера рассеивает, и на приборы воздействует!

— Насчет приборов я что-то ничего не слышал, — заметил Анатолий Петрович, по-видимому, кое в чем осведомленный относительно опытов в подвале.

— Не слышали, потому что страшатся, не докладывают, зная ваше отношение. Но разве можно науку развивать в страхе...

Я помнил из характеристики физиков: президент академии — «человек широкополосный», как я понял, человек широких взглядов, допускающий полемику с теми, кто с ним не согласен; вот и решил пополемизировать.

— Семьдесят пять публикаций ругают телекинез. Авторы их — академики, профессора, доктора наук, но никто не видел, что это такое. Но пишут, не ведая сути явления.

— Дело непонятное, — миролюбиво настаивал на своем Анатолий Петрович, — не следует возбуждать к нему нездоровый интерес.

— Давайте так и напишем, мол, дело, действительно непонятное, нужно в нем разобраться. Хотя для меня давно ясно — явление существует.

— Вот и академик Кобзарев так считает, — заметил президент, — он убежден, явление есть. А вот академик Блохин говорил мне совершенно противоположное, что комиссия врачей пришла в ужас, познакомившись с Джуной.

— Академик Кобзарев изучал явление. А вот академик Блохин не только экстрасенса Джуну, он доктора Илизарова до сих пор не признал, его не избирают в академию медицинских наук даже в члены-корреспонденты...

— Да, — заметил президент, — что касается Илизарова, тут я с вами полностью согласен, вот стоит передо мной товарищ, он его поставил на ноги.

— Звоните через неделю, — снова обнадежил президент.

Взял я давно заготовленную беседу с «профессором Ю. Васильевым» и вписал в нее слова, резюмировавшие состоявшийся телефонный разговор.

«Редакция обратилась к президенту АН СССР академику А.П. Александрову с вопросом: изучается ли описанное явление в нашей стране?

— Да, — ответил А. П. Александров. — Дело это непростое. Перед физиками встают трудные проблемы: эксперименты с людьми только начаты. Поэтому преждевременно говорить о каких-то открытиях, реальности явления. В то же время таких людей как Е.Ю. Давиташвили, Н.С. Кулагина, которые, не жалея сил и здоровья, проводят опыты в лабораториях, причислять к мистификаторам нельзя. Повторяю — нужно работать».

А вскоре произошло еще одно важное событие:

— Приезжай скорее, — позвала меня взволнованная Джуна.

ГЛАВА ЧЕТВЕРТАЯ,

где рассказывается о первых экспериментах в подвале Института нормальной физиологии и открытии «эффекта Джуны», сочиненных по этому поводу стихах, а также об огорчениях, доставляемых испытуемой в атмосфере застоя и безгласности, царивших в 1982-1983 годах; о долгожданной встрече с президентом АН СССР и его письме, которым был вознагражден автор за терпение и настойчивость; о первой публикации, где академики выражали благодарность феномену, и последовавших вслед за тем опровержениях, реферате «Академия и лженаука», в коем выражалось сомнение в наличии чувства юмора у автора, а также о чудесных исцелениях, когда совсем не до смеха...

Откликнувшись немедленно на зов «Приезжай скорее!», я поспешил к Джуне и застал ее чрезвычайно возбужденной, собиравшейся впервые посетить «свою» лабораторию. И хотя слово свою беру в кавычки, все же, положа руку на сердце, нужно признать, что если бы не Джуна, то еще не скоро бы подобная лаборатория появилась. Да и появилась бы она вообще?! Она возникла только после ее приезда в Москву, и довольно быстро. Ни один день ее жизни не прошел без забот о «своей» лаборатории. Всех, кого только могла, она «мобилизовывала». Каждый помогал, чем мог: один содействовал тому, что вопрос обсуждался в инстанциях, другой помогал приобретать аппаратуру, третий шел на прием к должностному лицу и так далее, всего уже не упомнить, не пересказать. В общем, тому, что именно 25 ноября 1982 года, а не, скажем, 1990 года, в лабораторных условиях началось изучение феноменов, мы во многом обязаны неутомимой самоотверженной Евгении Ювашевне.

Сели мы в машину, вместе с фотографом Дмитрием Чижковым, поехали в центр, прокладывая маршрут. Никто у дверей института не встречал. По длинному коридору подвала мы подходили к дверям, на которых стоял номер 78. К встрече все приготовили: термовизор, акустический ящик, экранированную камеру и еще какие-то сложные приборы. Был готов чай и булки.

Все стояли на местах. В медицинском кресле восседал раздетый до пояса испытуемый, атлетического сложения и артистической внешности молодой физик, сотрудник лаборатории. На цветном экране термовизора появилась в красках грудь атлета, окрашенная в сине-зеленые цвета. Джуна подошла к испытуемому и как обычно стала водить рукой вокруг головы, плеч, груди, не прикасаясь к телу. Медленно, но заметно цвета на экране начали меняться — синие позеленели, зеленые — порозовели, а в некоторых местах стали краснеть, что означало: температура на поверхности тела возросла. Особенно покраснело у испытуемого в области горла и ключицы.

— У тебя хронический тонзиллит и переломана ключица, — продиагностировала, глядя на экран термовизора, Джуна, радуясь, как ребенок. Это же открытие! — Можно делать объективный диагноз, экран все подтверждает...

— Разве это не так?

— Чувствуешь, как идет тепло, прилив крови к ногам? — спросила Джуна у сидящего в кресле, продолжая работать.

— Чувствую, — ответил довольно атлет-физик, не склонный к излишней серьезности. — И голова стала тяжелая, как после похмелья, — добавил он, характеризуя собственное ощущение, очевидно, хорошо ему знакомое.

Потом Джуну провели в экранированную комнату. Попросили на этот раз воздействовать не на человека, а на прибор. Я не видел, что это за прибор, войти в комнату из-за тесноты оказалось невозможно. Но на маленьком экране осциллографа, находившегося перед входом в камеру (я о нем уже упоминал, он размером с экран автомобильного телевизора), появилась яркая светящаяся линия. Она плясала, всплески волн разной амплитуды меняли свое очертание. Мне ясно было только одно — фиксируется какая-то энергия, и она, эта энергия, все время меняется. Джуна ощущала ее силу и, сидя в клетке, говорила:

— Вот сейчас пойдет сильнее.

И действительно, линии на экране повели себя более активно, чем когда она говорила:

— Сейчас будет меньше!

Потом начали третий эксперимент. Для этого Джуне пришлось забраться в какой-то стоявший у стены ящик. И хотя она гибкая, в ящик забиралась с ворчанием, и было ясно, что второй раз упросить ее «войти» в этот объем не удастся.

Потом фотографировались, пили чай, хорошо заваренный в колбе. Затем — не знаю, входило ли это в программу опыта — атлет-физик выставил перед экраном термовизора кисть руки. Пальцы заняли весь экран. И снова, но только быстрее, цвета под воздействием рук Джуны изменились. Почти вся кисть, пальцы покраснели. Долго не поддавался Джуне указательный палец, но и он минут через пять потемнел, точнее, покрылся красными пятнами.

— Да ведь это эффект Джуны! — заметил кто-то из наблюдателей.

Под впечатлением от происходившего на моих глазах в подвальной лаборатории, где делались первые открытия в области изучения феномена Джуны, я написал:

Феномен «Дэ»
Обнаружен не МВД.
Прогремели века-поезда,
Прежде чем признано — «Да»!

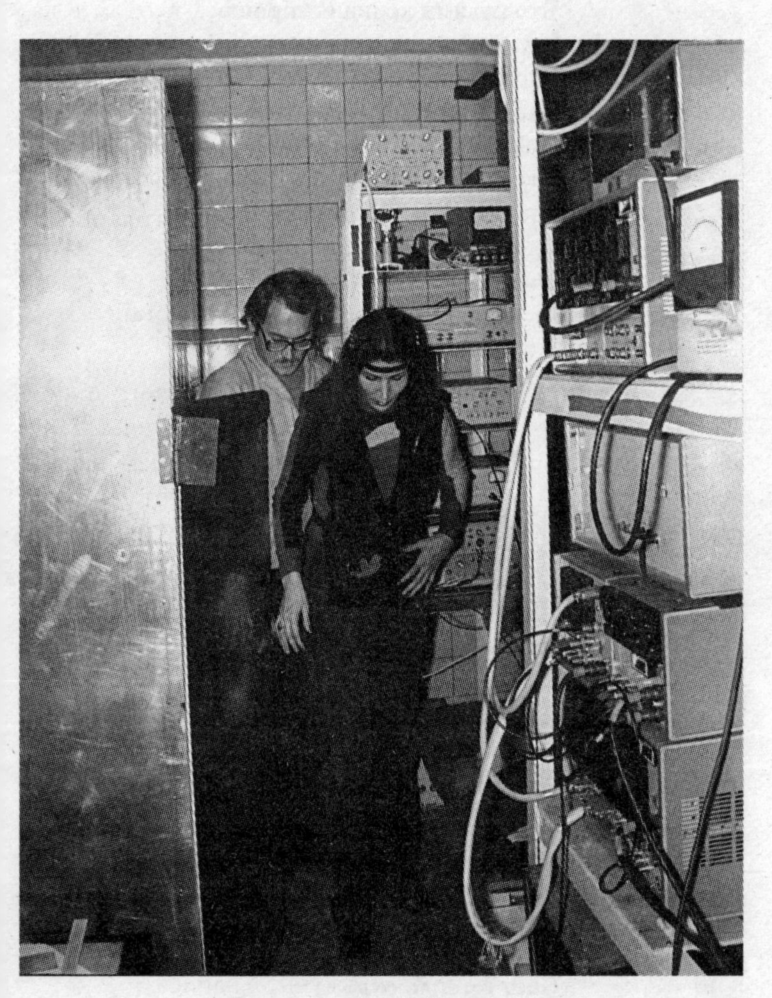

Перед входом в лабораторию

Был этот «Дэ» всегда,
И у странствующего Христа,
Что руками водил неспроста;
И у Месмера-врача,
Что едва избежал палача,
Академий проклятье влача —
Развенчал его факультет...
Оказалось, обычный навет.
Значит, от Рождества
Скоро две тысячи лет
Ошибалась ученая каста,
Вынося приговор свой — нет. Баста!
Не гипноз и слепая вера
Отличали страдальца Месмера,
Врачевателя-пионера,
У него — особая мера,
Ему б только приборчик Ампера,
В адвокаты ему б Вольтера!
В медицине новая эра
Могла бы начаться с Месмера.
Но сегодня лишь сказано — «Да!».
Феномен таился всегда
В движеньи целительных рук,
В поле радости,
В поле мук.
Академия наук,
А ЭН ЭС ЭС ЭС ЭР
Измеряет людей типа «Дэ»,
Что не делал никто и нигде...
Ложь в окно, правда — в дверь!
На экране все видят теперь
Свет и тепло рук,
Слышат в них ультразвук.
Хочешь, как прежде — не верь.
Термовизор, хоть глух и нем,
Докажет истину всем:
Что не фокус и не гипноз,

Что не мистика, и не — психоз.
Но скажите вы мне всерьез:
Кто тот «Дэ»?
Говорили о нем: или-или,
Иногда вдруг в газетах хвалили,
Только чаще публично хулили.
Знать, не ведая, что творили.
«Дэ» — то Джуна Давиташвили.
Та, которую столь бранили
И давно не раз схоронили.
А теперь она явно друг
Академии знатных наук.
Старший научный проказник,
На твоей улице праздник.

Вечером того же дня академик Ю.Б. Кобзарев пришел в подвал, и ему показали записанный на видеопленку опыт. Он увидел, как грудь и кисть наливаются кровью, краснея на глазах. Джуне требовалось минут десять, чтобы оказать свое воздействие. Температура при этом поднималась на несколько градусов. Потом поверхность тела начинала остывать, но совсем не так, как если бы нагревали кожу рефлектором. Она остывала как бы изнутри.

Меня интересовало, что скажет Юрий Борисович об опыте с Джуной:

— Видели ли вы на экране, как меняется картина? — спросил я академика.

— Видел, — сдержанно ответил Юрий Борисович. — Кое-что она показывает. Есть некоторая специфика, которой нет у обычных людей. Это нагрев необычный. И у Кулагиной то же самое происходит. Это не тепло идет, а нечто другое. Что-то такое, что воздействует, как горчичник. Между прочим, эффект горчичника тоже никто не знает должным образом, эффект этот не изучен.

— Доложат ли об этом президенту?

— Нельзя же по каждому поводу докладывать. Нужно в этом явлении сначала разобраться...

* * *

Ждать, пока физики разберутся, я не стал. А послал президенту короткую записку: «Не далее, чем вчера, в одном из институтов Академии наук СССР Джуна, воздействуя на руку испытуемого, увеличила ее температуру на несколько градусов за десять минут. При желании Вы можете увидеть эту картину на термовизоре. Эксперимент записан на видеопленку».

Второй эксперимент в подвале состоялся 9 декабря. В тот же вечер, а опыт начинался после обеда, часа в четыре, пришел в подвал куда-то спешащий профессор, озабоченный и хмурый.

— Ну как, — спросил шутя я, — нагревается?

— А нагревается ли? — ошарашив меня, ответил профессор. И добавил в полном отчаянии уже мне знакомую фразу:

— Зачем мне все это нужно? — показав глазами на Джуну и суетившегося возле нее с аппаратом фотографа. — Брошу все и уеду на Волгу.

И сдержал слово — уехал в тот же вечер.

А я на следующий день отвез президенту большие фотографии, сделанные в подвале у экрана термовизора, где была изображена Джуна и испытуемый. Лучше раз увидеть, чем сто раз услышать... И приложил записку:

«Посылаю фотографии, сделанные во время эксперимента с Джуной в лаборатории Академии.

Во время ее воздействия рукой температура тела менялась на глазах, что записано на экране термовизора, в чем вы можете убедиться сами. Были и другие опыты. Моя заметка с учетом ваших замечаний также находится у вас на столе. Прошу принять меня по этому поводу.

Лев Колодный.

3 декабря 1982 г.».

Из экспедиции Академии спешу к телефону. И слышу:

— Мне академик Котельников говорил не далее как сегодня, что Джуна ничего не показывает, что отличало бы ее от людей...

Теперь, по истечении нескольких лет, цитируя свои дневниковые записи, я понимаю, что президент, вице-президент и все физики, причастные к начавшейся работе, по всей вероятности, пытались обнаружить дискуссионные «биополя», либо, наоборот, получить скорее подтверждения, что таковых нет и не может быть. Меня же, нефизика, волновало совсем другое: лечит Джуна или нет, засвечивает пленку или нет, экстрасенс или нет, оправданы ли ее притязания или нет, наконец, права ли она и я вместе с ней или нет?! Или правы те, кто твердит о фокусах и шарлатанстве? Вот чем объясняется мое поведение, поступки и слова в споре с таким оппонентом, как президент Академии.

— Но разве греть рукой на расстоянии на несколько градусов каждый может?

Казалось бы, убедительно. Президент не спешил, однако, в подвал лаборатории, где так наглядно наблюдался «эффект Джуны», а собирался в очередную командировку, на сей раз на Урал, пообещав взять в дорогу переданные ему мои материалы и прочитать их в дороге.

Президент уехал.

* * *

На следующий день позвонил профессор, как обычно, в полночь, и сделал выговор:

— Ты везде ходишь, говоришь. По-видимому, нас прикроют. Снимки твои гуляют по Москве. Вице-президент в бешенстве. Джуну уволят. Вот к чему все это привело. А президент в ярости. Загубил ты дело. Академики рассказывают анекдоты, видят во всем этом ахинею. Я этим делом больше не занимаюсь. Неужели все кончено?

Но трубку профессор не бросил:

— Потерять все можно быстрее, чем получить. Сегодня все научные дела делаются без шума, — поучал он меня. — Скажи Джуне, чтобы фотопленку уничтожила и никому больше не посылала.

— Приезжайте, но без фотографа!

Чем всех расстроили невинные фотографии? Не успел я прийти в себя от выговоров профессора, как раздался звонок доктора наук:

— Я потратил на это дело два года жизни! Что ты шумишь? Тебе тоже перепадет! Сорвал ты нам эксперимент. Джуна думает, что ей передали компанию ученых. Фотографии действуют на физиков как красный цвет на быка...

И Джуна выдавала на орехи столь же яростно, как и физики:

— Это моя работа, почему они не дают отзыв? Я не старший подопытный кролик, а старший научный сотрудник! Где бумаги? Это моя история, моя жизнь! Да, посланные мною фотографии наделали много шума. Но в руки президенту попали. Он их показывал ближайшим сотрудникам. Не знаю, что им при этом говорил, может быть, старый анекдот про тетушек и дух Льва Толстого.

...Неужели следовало тогда сидеть и ждать, не писать, не фотографировать, не звонить, не добиваться справедливости?... Но каким другим путем изменить общественное мнение, добиться гласности? Другого пути тогда, в конце 1982 года, я не знал.

Ничего о результатах опытов ни испытуемому «старшему научному сотруднику», ни мне, специальному корреспонденту московской газеты, не сообщали, никаких «отзывов» не давали. Молча встречали, молча провожали. Все выглядело так, словно ничего не происходило, вроде бы и эксперименты не проводились, вроде и подвала самого нет, и Джуна в нем ничего особенного не производит. Ну, машет руками, ну радуется, глядя на цветные кар-

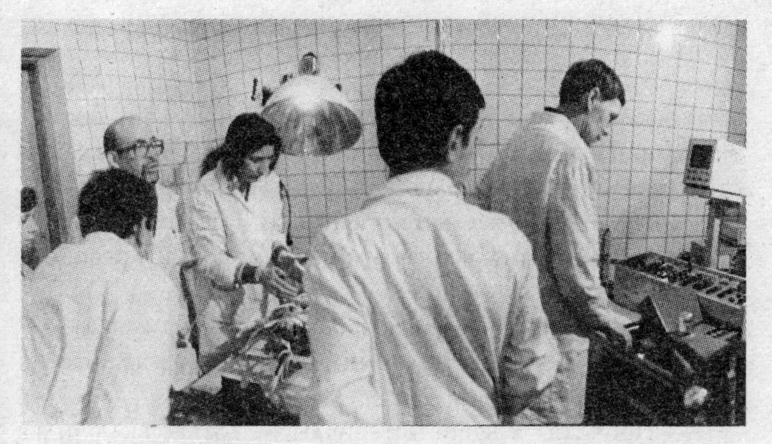

В стенах лаборатории физиологов

тинки на термовизоре, как ребенок. Ну и пусть радуется, это ее сугубо личное дело. Молчание, выжидание, какая-то враждебность тяготила до слез.

— Брошу все, уеду, хотят меня уволить, ну и пусть...

На следующую пятницу, однако, был назначен третий опыт в подвале, физики просили настойчиво приезжать без фотографа, мол, он мешает чистоте эксперимента, не принято так: «Не нужно шума». Ни доктор наук, ни профессор больше не желали, чтобы я отправлял снимки президенту.

* * *

Однако у меня появилось предчувствие — вот-вот истина дорогу себе проложит. Опыты идут, снимки лежат на столе президента, там же текст беседы с «профессором Ю. Васильевым», там же увесистая книга «отзывов». Что-то должно произойти, раз с этими материалами президент познакомился.

Часов в шесть вечера позвонил в Президиум Академии наук СССР. На дворе стемнело, зима в разгаре. На календаре 23 декабря.

— Прочитал я ваши материалы, — тотчас включился в разговор президент. —Приезжайте...

— Когда?

— Сейчас.

— А пустят? Ведь уже трижды приезжал?

— Пустят, — заверил президент.

Через главный вход прошел в здание Президиума АН СССР. Время позднее. У кабинета президента, дверь которого расположена в углу парадного зала бывшего Нескучного дворца, ждут приглашенные на аудиенцию. Зал высокий, залит светом, со старинной массивной мебелью, расписным потолком. Неужели все наяву и Волк в самом деле шагнул через порог царского дворца на прием ко Льву?

Перед заветной дверью за маленьким столом располагается референт Наталья Леонидовна, вдохновившая меня летом написать басню. Как долго не допускала она меня к этим дверям! Я положил ей молча на стол визитную карточку. Она молча взяла ее.

Долго еще в эту дверь входили и выходили люди. Среди них я узнал вице-президента, который и слышать не желал, когда заходила речь о феноменах.

Это он недавно мне категорически заявил:

— Мы это не изучаем и не собираемся изучать!

Наконец я вошел в овальный кабинет, очевидно, самую малую приемную в этом бывшем царском дворце, которую по традиции занимают президенты Академии наук СССР. Мне очень хотелось рассмотреть обстановку знаменитого кабинета, но этого я сделать не сумел. Все внимание приковал сидящий за большим столом, придавленным книгами, бумагами, президент. Он предложил сесть и, ни слова не говоря, начал что-то искать в бумагах, довольно быстро нашел мою беседу с «профессором Ю.Васильевым» и возвратил ее мне. Кто вам дал интервью, кто такой профессор Васильев, я наводил справки в Высшей аттестационной комиссии — такого профессора нет? — негромко начал президент. Тон его голоса придал мне уверенности.

— За этим псевдонимом скрываются заведующий лабораторией и его шеф.

— Они нам известны?

— Да, но они не хотят огласки, опасаются реакции коллег и вашей тоже. Это заведующий лабораторией, доктор физико-математических наук Эдуард Эммануилович Годик и профессор Юрий Васильевич Гуляев, член-корреспондент Академии наук...

— Гуляева я хорошо знаю, — заметил президент и выразил готовность слушать дальше.

— Два месяца они работали над этим текстом. Но подписи не ставят, боятся. Страшатся огласки. Но разве наука и страх совместимы?

Говорю, а сам думаю, что же мне возвращает президент? Взглянул на текст. И увидел подпись президента. Черными чернилами он внес поправки, вычеркнув, к сожалению, фамилию Нинель Кулагиной, поскольку не видел ее. Но про Джуну все оставил.

— Можете печатать...

Спрятав заветную бумагу, вынул папку с давно припасенными на сей случай документами. Взял фотографии, сделанные в поликлинике № 36, где работала Джуна, снимок, сделанный корреспондентом «Огонька», когда удалось запечатлеть свечение рук и головы, а также несколько снимков Нинель Кулагиной, держащей на весу между ладонями пластмассовый шарик от пинг-понга, старые фотоснимки опытов с ней в университете... Никто их не смел публиковать.

И протянул все это президенту.

— Все это, — кивнул президент головой в сторону сборника с «отзывами» о Джуне, — главным образом идет через каналы психические. Психическая податливость людей все это может объяснить. И воскрешение Лазаря относится вот к таким же вещам, — добавил он и сам засмеялся своей шутке.

Честно говоря, мне было не до смеха.

— Конечно, Джуна помогает, я в этом не сомневаюсь, — продолжал президент, — но я не думаю, чтобы это могло стать серьезным направлением в медицине. Совершенно непонятно, может ли она передавать свои методы другому?

— Передает!

— Передает?

— У нее есть ученики...

— Не знаю, — ответил президент, — тот же самый Котельников говорит, что у Джуны ничего не обнаружено. Но, может быть, он пока более осторожен в своих выводах, чем вы...

Президент взял в руки большую фотографию, сделанную в лаборатории, когда начались опыты у термовизора.

— Ну вот, то, что вы показали на термовизоре, это ведь вещь такая — попробуйте со многими людьми поздороваться: у одного рука горячая, у другого холодная, у третьего — мокрая, а еще у кого-то — сухая.

— Но Джуна дает повышение температуры на несколько градусов!

Секунду подумав, президент на это возразил так:

— Если вы кому-нибудь скажете неприятную вещь, то от одного этого человек может покраснеть даже. И все отразится на экране так же, как в случае с Джуной. Так просто связывать все с температурой нельзя. Если сосуды расширяются от волнения, то они излучают тепло.

— Но телекинез волнением не объяснить.

Вот старый снимок: стол, магнит — самый обыкновенный, туристский, рядом с ним все, что оказалось под рукой тогда: спичечная коробка, сахар, спички. И я вот рядом с академиком Хохловым стою кудрявый, еще молодой. А за столом сидит Нинель Кулагина — знаменитая. И все эти предметы она двигала, магнитную стрелку раскручивала. Накрывали эти предметы стеклянным колпаком. Есть протоколы, их подписал Хохлов, есть фильм. А писать об этом нельзя. Фильм на полке пылится.

— Эту Кулагину и сейчас испытывали. Все довольны, она меняла электропроводимость воздуха, кажется, потом, вам докладывали, она луч лазера рассеивает...

Много говорил я в тот вечер про феномен Кулагиной: как, положив руку на мое плечо, обожгла его до красноты. Как ей достаточно бывает посмотреть кому-нибудь в затылок —на коже остается красное пятнышко. «Могу до волдырей!» — предлагает она.

— В шутку, вот, прижгла на расстоянии затылок вице-президенту Котельникову при первой встрече, чтобы не сомневался в ее талантах... — Какой это гипноз!?

— Вот протокол опыта Джуны с крысами. Они гипнозу человека не поддаются. Ставили опыт в Пущино, в Институте биофизики. Пригласили в клуб, а завезли к крысам. У одной крысы температура повысилась почти на градус. Это разве гипноз?

Вот этот-то протокол и вызвал самый пристальный интерес президента, несмотря на то, что был он без печати, оформлен не по полной форме, подписан единственным смельчаком — младшим научным сотрудником... Прочел президент все, что значилось в протоколе от начала до конца, а потом начал, как бы себя проверяя, вслух называть цифры температуры крыс, а их в протоколе — два столбца на двух страницах.

В кабинете стало тихо-тихо. Слышен был ход старинных часов.

Вспомнил я в тот вечер и Розу Кулешову. С закрытыми глазами читала она пальцами, локтем, даже предлагала показать директору Института неврологии, как читает заголовки, сидя на журнале. И чем все это для нее кончилось. Потом рассказал, как в Институте метрологии проверяли телекинез Кулагиной и все свели к тому, что, мол, она двигает предметы нитками, прячет магниты под одеждой, «в области груди».

— Это безобразие, — прореагировал президент.

Если бы меня тогда могли слышать феномены! В тот час я чувствовал себя их послом и говорил от их имени. Свободно все, что накопилось на душе.

А в заключение президент заметил: «Хорошо, что лаборатория занялась изучением Джуны. Пусть изучают». И пообещал побывать в лаборатории.

* * *

Я уносил домой не только текст «беседы с профессором Ю. Васильевым», завизированный главой Академии, но и письмо президента АН СССР.

С профессором Арсением Меделяновским в Институте нормальной физиологии имени П.К. Анохина АМН СССР

Вот оно (публикуется в моей книге впервые):

«Уважаемый т. Колодный!

Я довольно долго тянул с вашей статьей потому, что всякая публикация, тем более в партийной или комсомольской печати, серьезно возбуждает довольно широкие круги читателей и часто — побуждает их к каким-то действиям, о которых даже не думал автор статьи. Причем эти действия происходят не только в той области, которой вы посвятили свою статью, но часто в совершенно других. Ведь, например, какой-либо деятель, стремящийся в наши дни усилить влияние религии — а чудесные исцеления тысячелетия были ее важным для привлечения людей оружием, естественно, будет ссылаться на современные публикации «Комсомолки» и тем убеждать неверующих. Многие будут искать вокруг себя «экстрасенсов» — и наверняка всякого рода любители легкой наживы начнут «лечить», продавать всякого рода лечебные средства, на которые воздействовало «биополе» и т.д. Погасить такое воздействие печати на довольно широкие круги психически податливых людей очень трудно, а оно может приносить не только пользу, но чаще вред.

Так, например, недавно довольно широко, особенно среди молодежи, было распространено убеждение, что «инопланетяне» на «летающих тарелочках» зачастую появляются у нас. Их «все видели», «останавливалось движение», показывали места приземления инопланетян и т. д. Сейчас это течение пошло, кажется, на убыль. Не так уж давно существовало многолетнее увлечение спиритизмом, фотографировали «материализовавшихся» духов, как «доказательство» их существования и т. д. Я думаю, что всякого рода сектантская и религиозная деятельность в своей основе использует именно психическую податливость многих людей. Иногда это может быть полезно, а часто и вредно.

Поэтому нужно проявлять высокое чувство ответственности при использовании печати.

Я остановлюсь на вопросе о самочувствии лечащегося.

Болезни самой различной этнологии могут сопровождаться болями. Боль часто сигнализирует человеку о происходящем в его организме нарушении нормального функционирования. Устранение ощущения боли далеко не всегда свидетельствует об излечении болезни. Часто наоборот — применение болеутоляющих средств позволяет больному долго не обращаться к услугам медицины и приводит к тому, что болезнь принимает запущенные формы, и лечение ее затрудняется или даже может стать невозможным. Кроме того, отсутствие обычных для какого-либо заболевания болевых ощущений может затруднить диагностику. Конечно, часто для облегчения состояния больного медицина применяет болеутоляющие средства, и здесь есть одна важная особенность. Часто применение болеутоляющих средств (например, морфия и других препаратов) вызывает привыкание больного к ним. Во избежание этого, часто вместо морфия вводят чистую дистиллированную воду или любой нейтральный препарат, говоря, что это то обезболивающее средство, которое больному вводили раньше. И многие больные чувствуют, что боль утихает, хотя Д. Давиташвили тут нет. Это разрешенная и часто используемая врачами тактика. Это действие на болевое ощущение через психику. Шприц с иглой, чувство укола создает у больного чувство уверенности, что обезболивающее введено, а дальше он сам, его податливая психика исключает ощущение боли.

В случае Д. Давиташвили, как мне представляется, мы, скорее всего, встречаемся с группой явлений, стоящих ближе к внушению, передаче своего желания, команды больному и подготовке его к восприятию команд. Это достойно изучения научными методами. Это нужно делать без предвзятости, хорошо продуманно методически, конечно, комплексно.

Нельзя выхватывать какие-то единичные явления — в таких случаях они, особенно при неквалифицированном истолковании, могут только запутать дело...

Можно ли кого-либо научить методам Давиташвили? Многие ли люди имеют подобные свойства? При каких болезнях ее методы более эффективны, чем обычной медицины? Вот первые вопросы, ответы на которые необходимо получить прежде, чем можно будет высказать какое-либо суждение о том, следует ли распространять методы Давиташвили. В медицине, как нигде, вопросы внушения и самовнушения играют чрезвычайно большую роль — одни больные предпочитают гомеопатию, другие аллопатию, и по сути дела психика больного дает определяющий вклад в его ориентацию на те или другие принципы лечения, а иногда и на причины его плохого самочувствия.

Теперь о Д. Давиташвили. Я не считаю ее обманщицей и уверен в том, что после лечения у нее многие больные чувствовали себя лучше. Воздействие через психику больного, вероятно, во многих случаях может у психически податливых людей вызвать существенное улучшение самочувствия, снятие болевых ощущений. Я также думаю, что при этом может возникать и прямой терапевтический эффект — наша нервная система в результате воздействия через психические каналы может генерировать импульсы, упорядочивающие обмен веществ, улучшающие регулярные процессы и т.д. Возможно, что близкие к этим явления происходят при лечении иглоукалыванием и т.д. Я не могу себе представить механизм действия при инфекционных заболеваниях — микробы или вирусы должны быть хорошо приспособлены к изменениям в организме их хозяина, т.е. больного, иначе не могло бы быть устойчивых инфекционных заболеваний. Также не ощущается возможность механизма, способствующего уничтожению злокачественных опухолей. Однако, возможно, что временные ремиссии, аналогичные ремиссиям при химиотерапии, не исключаются, а улучшение самочувствия больного, снятие болей, видимо, возможно.

Воздействие на нашу нервную систему через психические каналы, то есть через головной мозг самыми разнообразными путями, влияет на организм — как известно из научной печати, вспышки света с частотой человеческих биоритмов могут у латентных эпилептиков вызвать приступ эпилепсии. Также у латентного эпилептика приступ может возникнуть при виде эпилептического припадка у другого лица.

У некоторых мужчин симптомы беременности жены вызывают тошноту, падение аппетита и даже боли в тазу! Явно, что это индуцированное внешними причинами и усиленное нервной системой объекта психогенное заболевание.

Поэтому нужно проявлять высокое чувство ответственности при использовании печати».

* * *

На следующий день состоялся третий эксперимент. В напряженной обстановке, без фотографа. На медицинском кресле возлежала тяжелобольная женщина. К телу ее подсоединили датчики. Воздействовала Джуна на носоглотку. Женщине при этом так сдавило голову, что она потом, после окончания эксперимента, признавалась: хотела опыт прервать.

В канун нового 1983 года, в номере от 31 декабря на четвертой странице «Комсомольской правды» под рубрикой «Возвращаясь к напечатанному» появилась моя многострадальная заметка, сообщавшая читателям, что феномен Джуны изучается.

Почему двух лет жизни стоила эта небольшая публикация в сто строк? Почему пришлось собрать на ней столько автографов, столько виз? Ведь в это же самое время одна за другой выходили статьи, судя по всему, без особых усилий и разрешений, где авторы высмеивали тех, кто пытался лечить руками, даже под контролем врачей в поликлиниках, как это уже начали кое-где практиковать.

Ответ на эти вопросы сегодня ясен, и его можно дать: потому что описываемые события происходили в самый разгар эпохи «застоя», в обстановке безгласности, сделавшей проблему экстрасенсов закрытой, чуть ли не тайной для каждого, кто шел против введенного в заблуждение общественного мнения, утвердившегося ложного единомыслия на сей предмет...

Не буду описывать всех волнений, пережитых накануне публикации. Предполагалось поместить ее в предновогодний день: чтобы не привлекать особого к ней внимания.

Что и было сделано. Свежую газету в полночь отвез Джуне, благо ее квартира находилась тогда рядом от редакции, у метро «Аэропорт». Там никто не спал.

Выпили мы по бокалу шампанского.

— Прочти, — попросила Джуна. Пришлось прочитать не один раз.

Молча слушала, внимая каждому слову, хотя давно знала каждую строчку наизусть.

— Это тебе, Джуна, подарок в свинцовых строчках...

Поэтический подарок преподнес ей в те дни Феликс Чуев. В его сборнике появилось стихотворение под названием «Женщине», с посвящением «Е. Давиташвили». Как видим, поэту пришлось прибегнуть к «военной хитрости». Мало кто знал, что под именем «Е.» и фамилией Давиташвили скрывается Джуна... Фигуры умолчания все еще продолжали стоять на своих местах вокруг «таинственного феномена».

Вот что писал поэт:

Рукой над розой женщина проводит,
Не прикасаясь к тонким лепесткам,
И чувствует по трепету в природе,
Что тянутся цветы к ее рукам.

Игорь Тальков обожал Джуну

Ладонями она их различает —
Ромашки, георгины, васильки —
Не глядя, гладит добрыми лучами,
Нечаянностью зрения руки.
Есть разный дар.
И можно невесомо засыпать
Землю тучами лучей,
Людей перетравить, как насекомых,
И шар земной останется ничей.
Но женщина — иное излученье,
Летящее от смелой доброты,
Пока ее настигнет изученье,
Она растит здоровье, как цветы.
Но женщина — спасение от боли,
Когда ланцету в тайну не пролезть,
Она своим выдергивает полем
Занозою застрявшую болезнь.
Теплом лучей врачуя от пожара
Усталый мир, она, пока он жив,
Стоит над головой земного шара,
Ему на темя руку положив.

— Мы победили! — ликовала Джуна, выдавая желаемое за действительное, поскольку до победы было еще далеко-далеко.

Сто строк правды были обнародованы.

В короткой заметке содержалось, однако, несколько принципиально новых моментов. Не кто-нибудь, а глава науки выводил Джуну, а вместе с ней всех других экстрасенсов из области предосудительной, из сфер мистики, фокусов, авантюр, где, как полагали, всем им место, в область науки, причем официальной, государственной, охраняемой законом.

Впервые в СССР заявлялось: феномены, прежде относимые к парапсихологическим чудесам и околомедицинским мифам, стали предметом изучения физики. Если президент делал это заявление с оговорками, не забыл упомянуть про свой скептицизм, а вице-президент высказывался нейтрально, осторожно, и понять его можно было двояко, группа авторитетных ученых высказалась однозначно: феномены — реальность. Наконец, профессор Ю. Васильев в лице Э.Э. Годика и Ю.В. Гуляева заявил, полемизируя, правда, инкогнито со своими коллегами, что не все физические поля изучены. Значит, следует ожидать открытий и здесь.

Редактору газеты «Московских новостей» я преподнес вышедший номер с таким двустишием:

Среди московских новостей
Мир не слыхал таких вестей!

В январе прошел еще один эксперимент в подвале. На этот раз перед Джуной расположили подопытную лягушку, распластав ее на подставке так, что было больно на нее смотреть. Джуна опять-таки обмахивала ее руками. А физиологи в эти минуты регистрировали состояние лягушки. Я при этом опыте не присутствовал, а зашел в лабораторию, только когда выносили, сделавшую свое дело, лягушку из подвала наверх, в Институт физиологии. Однако по сей день администрация института не решается сообщить о результатах экспериментов «лягушка — Джуна», хотя ставились они не один раз.

Даже не верилось, что больше не нужно никому звонить, никого убеждать, куда-то мчаться... Информация делала свое дело.

Те, кто годами выступал с речами и разоблачительными статьями, не верили своим глазам.

— Не может быть, чтобы президент так мог заявить. Вы извратили его слова... Вырвали их из контекста! — опровергал меня, придя в редакцию, профессор И.Т. Акуличев.

— Писать о таких людях как Джуна вредно с «мировозренческих позиций», мистические секты, появившиеся кое-где, вербуют своих членов нередко потому, что те хотят узнать о «биополе». Нужно разоблачать все это, — доказывал профессор, не желая слушать о лаборатории, где взялись за дело физики с мировыми именами, способные отличить истину от вымыслов. Чего добивались опровергатели? Они хотели сорвать работу, прекратить как «лженаучную», закрыть с таким трудом созданную лабораторию.

Закрыть ее им не удалось. Но кое-чего они добились. В главном зале Нескучного дворца в Президиуме АН СССР состоялась вскоре встреча с журналистами. Каждому входящему предоставили пресс-справку под названием «Академия наук и лженаука», написанную членом-корреспондентом академии М.В. Волькенштейном. Черным по белому в ней значилось:

«Иронические слова президента об экстрасенсах подаются в «Комсомольской правде» в искаженном виде, так что сейчас считается, что президент Академии наук это направление поддерживает».

Затем автор пресс-справки, известный специалист в области химии биополимеров, поднялся на высокую трибуну, расположенную в нескольких метрах от той комнаты, где академик А.П. Александров меня принимал, и заявил:

— Телекинезом должны заниматься не ученые, а фокусники и криминалисты, чтобы разоблачить тех, кто дурачит людей.

За членом-корреспондентом поднялся главный ученый секретарь Академии наук академик Г.К. Скрябин, славящийся остроумием. Обращаясь к залу, подняв над головой руки, как это делают целители, он сказал, в частности:

— Дело доходит до того, что Джуна работает в стенах академического института!

За столом председателя главенствовал вице-президент, утверждавший программу «Физические поля биологических объектов». Его подпись я видел. И молчал, как будто был не в курсе того, что происходит в одной из лабораторий института, которым руководит его коллега, другой вице-президент.

Как все это понимать?!

Да, прав академик Д.С. Лихачев: «В нашей научной жизни не все благополучно».

С места можно было только задать вопрос — и я воспользовался этим правом:

— Какое выступление президента имеет ввиду член-корреспондент Волькенштейн, не толи, что появилось в газете 31 декабря?

Зал затих. И еще я спросил:

— Неужели товарищ Волькенштейн думает, что в газете не понимают юмор? Не желает ли он посмотреть этот газетный текст в оригинале, подписанный президентом? Кроме его подписи, там есть еще подпись вице-президента и пяти академиков...

Зал не ожидал такого поворота. Смолкли голоса, под сводами Нескучного дворца я произнес монолог о телекинезе, заключив, что «товарищ Волькенштейн» его не видел, а говорит и пишет несуразности, в то время как те, кто видел телекинез, находятся в зале и молчат.

По иронии судьбы рядом со мной сидел профессор С.П. Капица, всем известный ведущий телепрограммы «Очевидное — невероятное», давным-давно державший Нинель Кулагину за руку, «мерявший пульс», во время показа в университете телекинеза. Я протянул ему текст с автографом президента, который он молча посмотрел и вернул. Очевидное — невероятное! Да, повернуть корабль общественного мнения одной заметкой в газете, даже опираясь на авторитет главы науки, не удалось. Но я не терял надежды, потому что подвальная лаборатория дело свое делала. Сотрудники ее обрабатывали результаты наблюдений, готовились к переезду в особняк в Старосадском переулке.

* * *

Весной состоялась премьера фильма «Юность гения». Просмотра было два. На одном Джуна была на экране всего около десяти минут. На другом — двадцать. На втором просмотре, где демонстрировался неофициальный вариант картины, она показывала свое искусство, точнее говоря, свою методику диагностики и лечения. Ради этого и стала сниматься. Это были как раз те кадры, которые по настоянию научного консультанта из фильма сократили под предлогом того, что методы Джуны пока еще «не проверенные».

Джуна летом увлеклась лечением глухонемых и слепых. У нее появился аппарат, которым она записывала на видеопленку свое воздействие.

Смотреть без волнения эти кадры нельзя. Хочу рассказать о нескольких исцелениях.

Две грузинские матери, плохо говорящие по-русски, привезли из Тбилиси детей-дошкольников, их имена Леван и Надия.

Мальчик стал все слышать и бойко сыпал слова, читал по-грузински, стал разговаривать с Джуной по-грузински, шалил. На одно ухо у него прежде была потеря слуха 100 процентов, на другое — 80. Практически глухой.

Леван — первый, кого Джуна излечила от глухоты в Москве после возвращения со съемок из Самарканда, где, как помнят читатели, она также вернула слух глухому.

Леван походил на сына Джуны, поэтому она уступила просьбам матери и начала сеансы, хотя сама поначалу не верила в успех. Мальчик оглох от удара по голове, о чем мать не знала. Следы удара Джуна обнаружила у него с левой стороны.

Девочка оглохла после гриппа, когда ее лечили антибиотиками. Девочка кое-что слышала, а начала лечение со слуховым аппаратом. Джуна советовала матери больше не

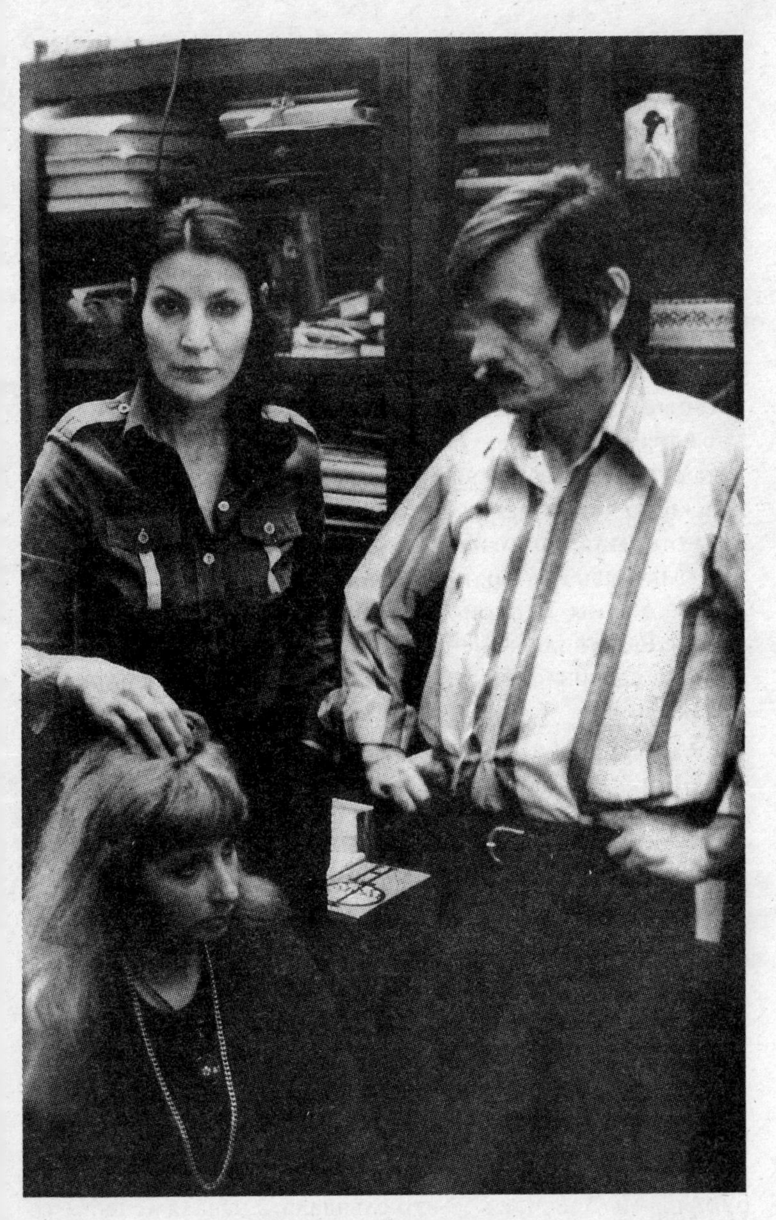

С Андреем Тарковским

пользоваться аппаратом. Надия и без него уже слышала слова и повторяла их за Джуной. А на ухо ей тихо шептала: «Тэта».

Наконец, упомяну вкратце историю арабской девочки. Ее привезли в Москву из Саудовской Аравии, чтобы показать нашему знаменитому окулисту С. Федорову. Стали к нему в очередь. Один из знакомых Джуны привел девочку к ней. Она перестала видеть несколько лет тому назад, после того, как на нее рухнула дверь: в доме шел ремонт. Удар пришелся по шее. Девочка выздоровела, но ослепла. Возили ее в США, Испанию, к хирургам, на Филиппины, к известным целителям. Никто помочь не мог.

Спустя неделю я увидел такую сцену. Девочка разглядела руку Джуны и схватилась за нее. Она стала различать краски на ярком цветном платке. Когда ей показали гвоздики, сказала, что это красные цветы. До полного исцеления было еще далеко. Но оно началось. Увидела девочка и платье Джуны, хотя оно черное.

— Раз увидела черный цвет, значит, все будет видеть, — заверила Джуна. Девочка спела сочиненную ею песню:

Джуна, ты моя — жизнь,
Я тебя люблю.
Если ты не веришь —
Посмотри мне в глаза.
Глаза ее блестели и были прекрасны.

* * *

В конце лета вместе с руководителем программы Ю.В. Гуляевым встретились мы с министром здравоохранения СССР С.П. Буренковым. Он выслушал сообщения о перспективах приложения физических методов в медицине. Про Джуну сказал профессор под занавес всего несколько слов:

— Воздействие мы обнаружили.

И обратился к министру с просьбой подключить к делу врачей, чтобы они помогли отделить психотерапию от физики. По желанию Джуны профессор попросил, чтобы врачи с ней провели опыты по лечению эндартериита.

— Зачем сразу делать опыт на эндартериите, — удивился министр. — Можно что-нибудь и попроще взять. Может быть, вообще начать с крыс... Подключим институты, Академию медицинских наук.

И посетил лабораторию.

О результатах работы доложили председателю ГКНТ Г. Марчуку и председателю Госплана СССР Байбаков у, вдохновителям программы. Именно они заказывали музыку. Я не раз уже упоминал Николая Константиновича Байбакова и хочу объяснить, почему этот человек, казалось бы, далекий по своему высокому положению от экстрасенсов, проявил столь благожелательное к ним отношение, в частности, к Джуне. Совсем не потому, что она его лечила. Не было этого, хотя все зарубежные газеты так писали. Дело в том, что он всегда проявлял интерес к новаторам в области медицины, построил, например, лабораторию в Тбилиси, в Грузинском ботаническом саду, где в начале шестидесятых годов кандидат биологических наук Н.А. Кахеладзе стала, причем успешно, лечить некоторые кожные болезни, в частности, облысение женщин, детей. Сам же он от облысения не страдал.

Загруженному предельно государственными заботами председателю Госплана не удавалось несколько лет посетить лабораторию, для которой он сделал больше всех. Физики к нему не раз приезжали с докладами, с просьбами, и он всегда находил дня них время... И не только время.

Докладывали они о всех открытиях ему первому. Джуна хотела, чтобы и ей дали отчет, который направили в инстанции. Ей его даже не показали. Какая в этом была тайна?

— Да, кровенаполнение — реальность, — говорил мне доктор наук... — Но может быть, это все идет через психику? Джуна заставляет человека, и он сам гонит кровь?

— Но она во время опытов молчит, ничего не говорит. Ведь глухие, слепые ее вообще не видят и не слышат?

— Поля у Джуны такие, как у всех людей, — охлаждали мой пыл физики. — Но когда она двигает руками, поля у нее большие. Их нужно сравнить с полями других рук, может быть, в самом деле, у нее они значительно больше, чем у всех...

— Когда ваши сотрудники пытаются делать то же, что Джуна, удается им это?

— Нет, не удается, — вырывал признание у физиков, все опасавшихся, что тисну очередную информацию в газете. Но все же сказали мне: то, что давно говорил академик Кобзарев: «Тела, нагретые Джуной, остывают совсем не так, как если бы они согревались рефлектором. Нарушается закон остывания...».

* * *

Летом 1983 года вышел из печати «Вестник АН СССР», где за подписями Ю.В. Гуляева, Э. Э. Годика опубликована статья, озаглавленная «Физические поля биологических объектов», посвященная методике исследований. Это была первая ласточка. Однако о Джуне там не говорилось ни слова, что приводило ее то в ярость, то в отчаяние. Рано еще...

Только в конце октября закончился ремонт в Старосадском переулке. Своды его подпирали четыре бородатых атланта. Двери и особняк — резные, тяжелые, старинные. О таких я мечтал. Так что, можно сказать, моя мечта сбылась.

О чем я еще мечтал? Как вскоре — закончат только монтаж аппаратуры — Джуна, доктор наук, профессор подойдут к этой двери. Тяжелая дверь не сразу подастся. Я помогу им ее открыть. Это будет моя последняя трудность. Остальные трудности придется преодолевать Джуне и сотрудникам лаборатории. Кстати, профессор, очевидно, станет академиком, несмотря на деловую связь с врачевательницей.

В тот год, 22 июля, в день рождения Джуны, я подарил ей далеко не совершенное стихотворение, интересное только тем, что отражает настроение тех дней:

Знаком я с Джуною три года
И часто слышу средь народа,
Как про нее идет молва:
«Да ведь она уж умерла!».
Или что силу потеряла,
Которой в прошлом обладала.
Или что силы той уж мало...
И всем я отвечаю снова:
«Она по-прежнему здорова,
И хватит силы той на всех!
И только в этом Джунин грех,
Который ей простит наука».
И мир услышит: «Вот так штука!
А говорили — лженаука!».

ГЛАВА ПЯТАЯ,

заключительная, приближающая нас к драматическому финалу в изучении феномена, чуть было не оборвавшегося в самом начале; в ней анализируется, почему физики с энтузиазмом толковали о радиометрии коров и умалчивали о разогреве «Д»; повествуется, как старший научный сотрудник обнародовала место своей службы и за это поплатилась должностью; наконец, о посещении лаборатории ее основателем — председателем Госплана СССР, а также президентом Академии наук, одобрившим физиков и не одобрившим желание автора сообщить миру о феномене «Д»; и о наступлении апреля 1985 года, гласности, когда все кому не лень бросились писать о Джуне и печатать ее несовершенные стихи, что, впрочем, народ ей простит.

Итак, с ноября 1983 года начались приятные поездки в «свою» лабораторию. Примерно раз в неделю часам к четырем после обеда Джуна спешила на работу.

На термовизоре, как на телевизионном экране, повторялась десятки раз картина воздействия рук. За несколько минут после начала манипуляций менялись цвета, поскольку менялась температура рук Джуны и температура испытуемых: как на поверхности тела, так и внутренних органов, особенно пораженных недугом.

Рядом с физиками появились врачи, гипнологи, психотерапевты. В лаборатории доставляли больных из клиник Первого московского медицинского института. Однако не для того чтобы лечить: чтобы установить, есть ли воздействие рук.

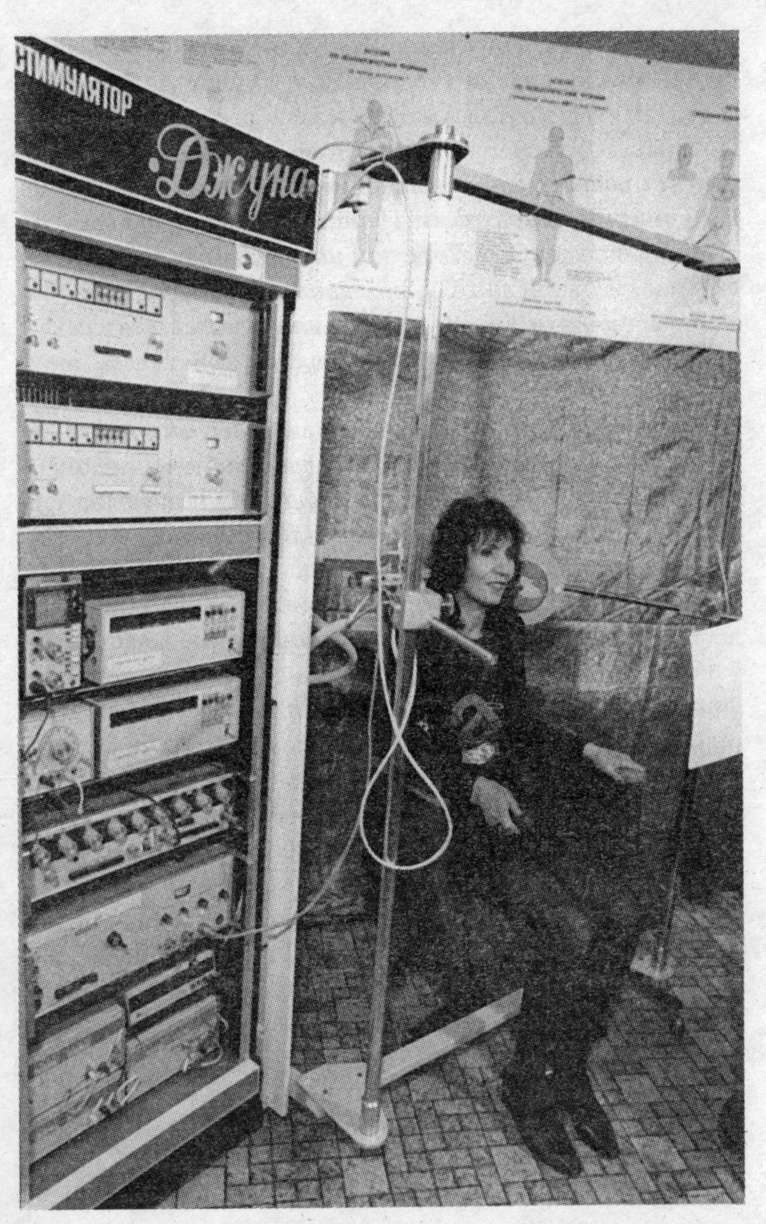

Стимулятор, созданный в результате исследований Джуны, назвали ее именем

Иногда тех, кого привозили для опытов, усыпляли, чтобы они не видели входившую в камеру Джуну. Иногда им плотно закрывали глаза и уши, все с той же целью. Появился однажды специалист по плацебо, предложил Джуне провести с ним эксперимент: требовалось перемещать цветные квадратики. Первый раз она проделала это с удовольствием, а вскоре эта элементарная игра ей наскучила, и она решительно отодвинула квадратики, обиженная тем, что вместо того, чтобы заниматься серьезным делом, чтобы лечить больных, ей приходится заниматься пустяками.

После каждого эксперимента, длившегося по нескольку часов, подписывались протоколы. Джуна их подписывала не глядя. С каждым визитом отношения между физиками и ею становились лучше, дружелюбнее, всегда на столе ждал крепко заваренный чай.

В те дни, когда Джуна не приезжала, работа также шла. Приглашались порой иные феномены, в частности, упоминавшийся в книге «экстрасенс» Юрий Х., кстати — физик, кандидат наук, заведующий одной из лабораторий, так сказать, свой брат-ученый. Измерялись физические поля и обычных людей. В этом качестве выступали сотрудники лаборатории.

Вот примерно так в общих чертах шли исследования и в 1983 году и в 1984 годах, с перерывами на летние отпуска. А в 1985 году — по март.

Да, работа расширялась, никто больше в лаборатории не считал Джуну «Распутиным в юбке». Но каждый шаг вперед давался с превеликим трудом, и сложности эти возникали не в стенах института, а за его пределами. «Внешнее давление», о котором упоминал академик Марчук, не ослабевало, несмотря на все новые открытия. Я чувствовал постоянно вокруг Джуны и себя атмосферу, где плотно нагнеталась подозрительность, потаенность, безгласность. Фотографировать не разрешалось, копии протоколов, которые подписывались после каждого опыта, не давались, о цели каждого конкретного опыта не распространялись, о плане дальнейших исследований молчали, не говорили даже, на сколько градусов удавалось рукой разогреть больных. Эта информация держалась если не в полной тайне, то, во всяком случае, была окружена какой-то дымовой завесой. Требовалось спрашивать, чтобы сразу узнать то, что не представляло никаких секретов.

Естественно, ни о какой статье или интервью я и речи в такой обстановке не мог завести. Информация откладывалась на неопределенное будущее, в то самое время, когда все новые статьи, бросающие тень на всю проблему и Джуну, в частности, появлялись в московских газетах и журналах постоянно.

Но и это еще не все. Самое большое мучение доставляло постоянное ощущение страха, ожидания, что исследования в любой момент прекратятся. Разговоры о таком исходе начали вестись вскоре после начала работы. Парадокс: чем успешнее она шла, чем ощутимее становились результаты, тем сильнее зрело желание руководства института — поскорее прекратить контакты с Джуной! Почему? Ведь лаборатория создавалась ее усилиями, для изучения именно таких феноменов, как она, ведь первой пригласили в эти стены Нинель Кулагину, вызвав ее в Москву за казенный счет, ведь исполняли государственный заказ, не жалея времени и сил, трудились по выходным, вечерами...

Стены дома в Старосадском переулке ломились от аппаратуры, самой совершенной, купленной на международных выставках за валюту, при содействии председателя Госплана СССР, при активной поддержке председателя Государственного комитета, имеющего прямое отношение к науке... Разве посмеют профессор, доктор наук, наконец, директор института не посчитаться с ними, посмеют прервать едва начатое дело, получив под него из кармана государства сотни тысяч рублей, помещение, штаты, аппаратуру? Мне казалось: не посмеют. Это же безнравственно, в конце концов, говоря проще, нечестно так поступить.

С каждым днем для меня все яснее становился смысл разговоров о «беспроигрышном варианте», которые велись еще в дни поиска помещения.

То, что волновало общественное мнение, физиков, взявшихся исполнить социальный заказ, в принципе, мало трогало. Есть экстрасенсы или нет экстрасенсов, «разоблачат» Джуну или установят некое воздействие ее «физических полей» — это не имело для моих новых друзей особого значения, как я стал понимать постепенно. «Результаты получим — отчитаемся, как положено, и дело с концом. Прощай, Джуна! Дадим ей от ворот поворот, уволим, пусть ею занимаются врачи, ведь она сама говорит, что лечит. Есть у нас медицинская академия. А мы, физики, займемся другими, «беспроигрышными» программами, к примеру, медицинской дистанционной диагностикой, ведь приборы в лаборатории такие, каких нет ни у кого, видят и слышат за версту! И при этом для человека такая диагностика абсолютно безвредна, он никакими полями, никакими лучами не просвечивается, не облучается. Наоборот, сам человек своими полями, излучениями создает картину собственного состояния, своего здоровья и нездоровья».

Вот такой ход мыслей был у профессора и доктора наук. Это было очень далеко от той цели, что стояла перед моими глазами, и для которой, как казалось, были основания. Ведь еще в подвал привозили издалека не умеющую говорить по-русски женщину, которая лечила и диагностировала неким народным способом, заинтересовавшим местных физиков из академического института естественных наук Бурятского филиала Сибирского отделения АН СССР. Привез ее заместитель директора института доктор физико-математических наук Чимит Цыдиков. Он мне напомнил нашу давнюю встречу, состоявшуюся, как оказалось, на кафедре у академика Хохлова, в те самые дни, когда туда привозили Нинель Кулагину: ее удалось краем глаза посмотреть и аспиранту Цыдикову...

И вот оказывается, что исследование «экстрасенсов» — лишь мимолетное увлечение моих знакомых: их попросили разобраться, они не могли отказать. Не более того. А я было думал, что новой лаборатории при наличии таких феноменов, как Нинель (жаль вот только, не в Москве живет), да при постоянном сотрудничестве с нацеленной на борьбу Джуной, феноменом выдающимся, творческим, многообразным, работы у физиков хватит на многие годы, десятилетия. Оказалось на самом деле, что, едва начав, физики спешили кончить дело, которое начиналось с таким трудом и потребовало героических усилий «старшего научного сотрудника», не помышлявшего о сгущавшейся над ее буйной головой черной тучей!

Физикам, получившим в руки столь совершенную и чувствительную аппаратуру, не представляло особого труда быстро измерить поля Джуны, сравнить их с излучениями нормальных биологических объектов, не претендующих на лавры экстрасенсов. Имея перед глазами экран термовизора, сразу видишь даже без особых измерений, что руки у Джуны нагреваются, нагреваются и те, на него она воздействовала...

Вскоре появился первый отчет, из которого явствовало, что в обычном состоянии физические поля Джуны ничем не отличаются от таких же полей каждого. Однако в «рабочем режиме», когда начинается сеанс, ее физические поля увеличиваются.

«Эти изменения физических полей невелики, и, по-видимому, могут служить лишь информационным сигналом для запуска психологических регуляторных систем».

И вывод:

«Вся совокупность результатов, полученных при исследовании АБО (аномальных биологических объектов) позволяет предположить, что воздействие не связано с какими-либо особыми излучениями, а имеет психофизиологическую природу (например, типа гипноза)».

Вот так, не обнаружив «особых излучений» физики тут же утратили интерес к Джуне. Поскольку полученный результат соотносился с «психофизиологической природой» (гипнозом), а именно его имел в виду президент АН СССР, что физикам хорошо было известно, профессор и доктор наук официально просили Джуну перевести в другое место, поскольку дальнейшие исследования «в Институте радиотехники и электроники АН СССР проводить не представляется возможным»!

Вот так, «не представляется возможным»! Значит, нельзя Джуне появляться в «своей» лаборатории, нечего ей тут делать, нечего зря деньги платить...

Сообщал об этом руководитель программы «Физические поля биологических объектов» директору института, вице-президенту академии В.А. Котельникову, утверждая, что свое дело сделал «на доступном на сегодня уровне чувствительности аппаратуры». И в это же самое время мои недавние спутники в хождении по инстанциям стали развивать новые планы, пошли разговоры о других, далеких от меня биологических объектах, о коровах, например, поскольку оказалось, что дистанционно измерять у них температуру важно для определения их здоровья, решения продовольственной программы, одним словом, об этой программе и коровах при мне говорили с большей охотой, чем о результатах, демонстрируемых Джуной.

Но просьба профессора, выраженная в докладной на имя директора института, была столь поспешна, что те, кто заказывал музыку, его не поддержали. Пришлось продолжать доктору наук и его команде встречи с «АБО», каждый приезд в лабораторию обставлявшей как выезд в гости, с долгим выбором ярких нарядов, покупкой тортов и коробок конфет для традиционных чаепитий. И тут выяснилось, что чувствительная аппаратура еще не исчерпала свои возможности по измерению физических полей Джуны и ей подобных «АБО». Оказалось, что у физиков есть

Президент России Борис Ельцин вручает Джуне орден Дружбы

простор для открытий, если только не заслоняться от них, не страшиться принимать в своих стенах экстрасенсов.

Пусть читатель не подумает, что это мои домыслы, картина мною воображаемая. Обнаруживалось важное явление: хотя у «АБО» «изменения физических полей невелики», они производили сильные возмущения в организме подопытных людей.

Предлагаю прочесть выдержку из отчета, подписанного тем же профессором, но направленного не своему непосредственному начальнику, который, как и его заместитель по научной части, рад был закрыть дверь института перед «АБО», а председателю ГКНТ академику Гурию Ивановичу Марчуку, от кого зависело дать лаборатории новую вычислительную машину, «комплекс уникальных импортных приборов, а также штаты в 10 единиц».

Так вот, ему сообщалась интересная новость: «С помощью разработанных в институте дистанционных методов регулярно проводятся исследования особенностей физических полей Е.Ю. Давиташвили, а также Н.С. Кулагиной. При этом методами инфракрасной термографии совместно с контактно электрофизиологической метрикой зарегистрированы значительные изменения температуры (до нескольких градусов) кистей рук Е.Ю. ДАВИТАШВИЛИ (выделено мною.— *Л. К.*), а также разогрев кистей рук и увеличение их кровенаполнения, изменение давления, частоты сердечных сокращений и дыхания у пациента».

Как непохож сей отчет на предыдущий, единственной целью которого было отбиться от «АБО», передать каким угодно психофизиологам или медикам... Если там речь шла о НЕЗНАЧИТЕЛЬНЫХ изменениях физических полей Джуны, то здесь теперь говорят о зарегистрированном ЗНАЧИТЕЛЬНОМ изменении температуры кистей рук...

Что же касается Нинель Кулагиной, то она продемонстрировала в лаборатории следующее:

«У Кулагиной обнаружено аутовызываемое значительное повышение проводимости воздуха вокруг кистей рук (в 10^6 раз), оптическое свечение рук (10^{-14} Вт), акустические «щелчки» (О.3 мкВт/$см^2$)».

В данном случае у феномена можно заподозрить те самые «особые излучения», которые вызывают яростную неприязнь лиц, хорошо усвоивших современный курс физики.

Вызвать бы еще раз в Москву Нинель, разве она когда-нибудь отказывалась от таких поездок? Разве не приехала она бы на следующий день в лабораторию в сопровождении неизменного спутника — инженера Виктора Васильевича Кулагина? За двадцать лет экспериментов он настолько глубоко разобрался в физической природе демонстрируемых женой «чудес», что мог рассуждать на эту тему с академиками и профессорами, высказывая гипотезы, достойные ежедневной проверки на той самой «чувствительной аппаратуре», где, как казалось ее обладателям, можно было бы закругляться со всякими там экстрасенсами, телекинезами и переходить на коров.

* * *

Время шло, поездки продолжались. Неизвестно, как долго бы все происходило, если бы не пресловутое внешнее давление, проявлявшееся почти каждый день в самых разнообразных формах: слухах, мнениях, публикациях, происшествиях, происходивших порой далеко от Старосадского переулка, имевших к нему далекое или косвенное отношение, однако становившихся непреодолимой преградой на пути измерений физических полей у «аномального биологического объекта». Физики, «академики», казалось бы, далекие от светской суеты, не отгораживались от внешних воздействий, наоборот, чутко прислушивались к каждому звуку, раздававшемуся за стеной их храма науки, в тайной надежде, что услышат наконец с улицы желанные слова — кончайте, ребята, хватит возиться с Джуной, переходите к «беспроигрышным делам».

С трудом налаженный рабочий ритм то и дело нарушался. Первый кризис произошел после упомянутого отчета.

— Лев, устраивай Джуну в другое место, — обращался профессор ко мне, будто я был заведующий отделом кадров, располагал вакансиями.

Второй кризис разразился после появления в Болгарии информации, что Джуна числится в Институте радиотехники и электроники, сообщалось, что она лечит какие-то тяжелые болезни, обрекавшие людей на костыли, инвалидные коляски.

Многие болгары, взяв билеты до Москвы, явились неожиданно к порогу Института радиотехники и электроники со своими болезнями, костылями и инвалидными колясками. Дверь осаждалась толпой иностранцев. На помощь согражданам поспешили высокопоставленные лица, среди них президент Болгарской академии наук, обратившийся к коллеге — вице-президенту Владимиру Александровичу Котельникову — за помощью.

Он и помог, распорядившись срочно прекратить контакты с Джуной. Пауза длилась несколько месяцев, хотя официально она продолжала числиться старшим научным сотрудником института, и бухгалтерия регулярно перечисляла ей заработанную плату — 180 рублей, как положено «с. н. с», не имеющему ученой степени.

Третий кризис оказался еще более неприятным, с уголовным оттенком. В институт поступил запрос из Министерства внутренних дел относительно Джуны. Милиция интересовалась, действительно ли она является старшим научным сотрудником уважаемого научного учреждения. Некий преступник выдавал себя не то за «ученика», не то за «учителя» Джуны, в доказательство предъявлял фотографию с автографом, которые она раздает на каждой встрече пачками.

Все эти «внешние давления» наносили удар за ударом по престижу новоявленного «старшего научного сотрудника» в глазах физиков, испытывавших постоянное желание под благовидным предлогом расстаться с ней, хотя с каждым месяцем исследования становились все более результативными.

Много огорчений также приносила кампания, разоблачающая целителей.

«Визит к экстрасенсу».

«Визит «экстрасенса».

«После визита к «экстрасенсу».

Называю по памяти три нашумевшие статьи, где под словом в кавычках «экстрасенс» представали пред народом знахари, невежды, шарлатаны, а в довершение всего «экстрасенсы»-преступники, вроде зловещего Абая и его колесивших по стране дружков, совершивших убийство. Эти и другие статьи в прессе инспирировались идеологами Старой площади, ЦК партии, желавшими взять реванш за проигрыш пятилетней давности.

Наконец, последний кризис произошел весной 1985 года, в марте, когда на страницах газеты, где Джуну в 1980 году окрестили «околомедицинским мифом», назвали ее «аномальным явлением», поставив в ряд с выдумками об «инопланетянах» и Бермудским треугольником.

И это публиковалось после трех лет работы в стенах лаборатории Академии наук, после того как государство выплатило одной Джуне и сотрудникам лаборатории сотни тысяч рублей.

Джуна кричала в трубку автору статьи:

— Я старший научный сотрудник института Академии наук! А ты кто такой?

Она металась по квартире, как в ту ночь, когда остановили машины, печатавшие журнал «Огонек» ...

— Напиши опровержение! — требовала Джуна.

Я этого сделать не мог. Ее имя, соотносимое с АН СССР, находилась под запретом Главлита.

Институт мог, но не собирался ничего опровергать, продолжая хранить в тайне сотрудничество с ней.

* * *

Джуна нашла выход из этого положения. Газеты, а вслед за ними журналы стали печатать стихи за ее подписью. Это не возбранялось.

Каждая подборка стихов сопровождалась, как обычно, представлением автора.

Кем представлялась Джуна?

Во-первых, начинающим стихотворцем.

Во-вторых, старшим научным сотрудником Института радиотехники и электроники Академии наук СССР. Сейчас вот пишу и думаю. Ну, что особенного, если автор назвал свое место работы? Ничего. Но для Джуны это «разглашение» стоило с такими мучениями полученной должности.

Заканчивался март. Впереди нас ждал апрель 1985 года, перестройка и гласность, объявленная новым Генеральным секретарем партии Михаилом Брежневым. Завершался застойный период.

Казалось бы, я должен сообщить читателям, что наконец-то Джуна вздохнула свободно, затхлая атмосфера безгласности начала насыщаться живительными струями информации, обрушились бюрократические преграды на пути нового направления науки...

Но я пишу только то, что было. А случилось следующее. В ЦК КПСС не понравилось, что в святая святых, Академии наук, числится не кем-нибудь, курьером или экспедитором, а старшим научным сотрудником самый известный феномен.

Не знаю, кто был этот деятель в отделе науки ЦК, но не потерпел он того, что с трудом терпели президент, вице-президент, директор института, заведующий лабораторией. Не потерпел, что в отделе кадров не было диплома, и распорядился срочно уволить Джуну.

Джуна рисует портрет друга

Ей предложили написать заявление об уходе по собственному желанию. Она написала: «Прошу уволить по вашему желанию...». По стечению обстоятельств в Москве в те дни не оказалось ни председателя ГКНТ, ни председателя Госплана, некому было противостоять административному нажиму.

И 29 марта 1985 года кадровики Института радиотехники и электроники издали приказ об увольнении Е.Ю. Давиташвили. Обратите внимание на дату приказа. Его подписали после смерти 16 марта Генерального секретаря, постоянно болевшего Черненко, знавший о звонках Леонида Ильича. В 1984 году умер Юрий Андропов, благоволивший Джуне. В 1982 году умер Леонид Брежнев, поручивший ученым выяснить, «лечит Джуна Генсека или калечит». Кто мог помочь отменить приказ? Николай Константинович Байбаков. Но другом его Михаил Сергеевич не был, его судьба самого как председателя Госплана была предрешена.

К этому времени дело было сделано. Феномен «Д» — установлен. «Эффект Джуны» изучили довольно подробно, хотя далеко не до конца. Как ни сокрушалась Джуна, она нашла силы начать еще один цикл исследований. Проводился он не где-нибудь, а в лаборатории научного центра. Его возглавлял тот самый «академик двух академий», который грозил мне судом за лжесвидетельство и принимал активные меры, чтобы лишить новоявленную москвичку права на жительство в столице. Я имею в виду академика Б.В. Петровского, бывшего министра здравоохранения СССР.

Тайком от него десятки раз, надев белый халат, появлялась Джуна в лаборатории. Она здесь обмахивала подопытных кроликов руками, научные сотрудники пытались выяснить механизм ее воздействия с точки зрения физиологии.

Впрочем, и им мужества обнародовать результаты не хватило.

* * *

По телефону правительственной связи с гербом СССР, так называемой «вертушке», из кабинета редактора «Московской правды» я позвонил Николаю Константиновичу, рассказал, что случилось после публикации «Литературной газеты». «Приезжайте ко мне», — предложил он. Мне заказали пропуск в дом Госплана СССР в Охотном ряду. Из кабинета председателя вместе с ним прошел к большой черной машине. Через несколько минут она остановилась перед дверью особняка в Старосадском переулке, где стояли две черные «Чайки» президента АН СССР, вице-президента и директора ИРЭ, — того, кому Нинель Кулагина шутки ради нагрела затылок.

Гости не спешили. Юрий Гуляев и Эдуард Годик показывали и рассказывали обо всем, что успели сделать за три года, начали с демонстрации теплолокации рук, «кожного зрения». На экране термовизора хорошо было видно, что, когда рука подносилась к конверту, где внутри находился лист бумаги с рисунком-фигурой в виде креста, то на белом фоне экрана проступал этот крест. То есть рука как бы видела то, что находилось в черном конверте. Так наглядно демонстрировался феномен «ясновидения», до недавнего времени никем не объясненный.

— Продайте это «знатокам», — пусть они читают, не вскрывая конверты, — имея в виду госбезопасность, пошутил президент.

Потом на место конверта легла газета. Когда приблизилась к ней рука, на экране, на белом фоне, появилось ее название, и все смогли прочесть большие буквы названия газеты «Правда». Так был наглядно показан феномен «кожного зрения», не только объяснимый в лаборатории, но и, как видим, смоделированный. Рука улавливала разницу тепла, отраженного от черных букв и белого поля листа, а термовизор эту разницу воспроизводил на экране.

Так смоделировали физики то, что с таким блеском делала безвременно умершая Роза Кулешова, читавшая пальцами не только заголовки, но и любой печатный текст, книги и газеты, за что при жизни ее «разоблачили» в Институте неврологии и признали мошенницей.

Далее установили, что рука обладает чувствительностью к теплу, ничуть не уступающей термовизору. Да и тепла рука излучает довольно много, как небольшая электрическая лампочка, а все наше тело — как лампа в сто ватт. Вот этим теплом и высокой чувствительностью к теплу объясняли физики феномен Джуны. Ее рука не излучает, как считают в лаборатории, неведомых «биополей», все объясняется известными физическими полями и излучениями, в первую очередь, инфракрасным излучением, то есть теплом.

Когда гости прошли в комнату, где стояла вычислительная машина «Норд» и большой экран термовизора, профессор не без торжества в голосе сказал:

— Сейчас мы вам покажем, что делает Джуна.

К спине больного радикулитом подносится рука. На спине вверху светится красное пятно, очаг поражения. Рука манипулирует внизу спины. Спустя несколько минут разогревается практически вся поверхность спины!

— Значит, греет не напрямую, — комментировал президент.

— Когда мы поставили между рукой стекло, то нагрева не было, — добавил доктор наук. Все понимали, нагревания не могло быть, потому что стекло не пропускает инфракрасное излучение...

Именно этим теплом здесь объясняют феномены «Д»

— На сколько нагрелась спина? — спросил президент.

— На три градуса...

Красное пятно расползлось по всей спине. Точно так же отчетливо видно: нагрелась и рука Джуны, но не так интенсивно.

— По термодинамике не проходит, — заметил президент по поводу происходившего. На первый взгляд картина, демонстрируемая на экране термовизора, противоречила второму закону термодинамики: более холодное тело — рука — не должно было разогреть другое, более теплое тело, до такой степени, до какой это сделала рука.

— Это не простая теплопередача, — пояснил вице-президент, — это система с собственными источниками энергии. Пример такой системы — радиоволна и радиоприемник. Слабый сигнал радиостанции, попав в приемник, усиливается, и мы слышим громкие звуки, порой настолько мощные, что приходится от них закрывать окна...

— Рука как спичка поджигает, — образно пояснял происходящее доктор наук. — Это воздействие не физическое, а информационное. Нагревается в первую очередь порченое место.

Вот такой разговор происходил при мне в тот момент, когда высоким гостям оператор Александр Тараторин демонстрировал на сложном вычислительном комплексе результаты, полученные в дни наездов «старшего научного сотрудника», уволенного отнюдь не по собственному желанию.

Николай Константинович Байбаков при этом собеседовании физиков молчал и слушал, имея возможность впервые увидеть то, что давно хотел, потому что именно он больше всех содействовал рождению лаборатории. Он, кстати, не раз помогал тем, кто начинал, казалось бы, заранее обреченное на провал дело, когда это касалось здоровья людей. Помог в Феодосии создать лабораторию, где врач-психотерапевт Довженко успешно лечил больных от алкоголизма, помог Гавриилу Илизарову в Кургане и Святославу Федорову в Москве, врачам, ставшими знаменитостями.

Молчал высокий гость, ничего не сказал физикам. Только я услышал:

— Не подвела меня Джуна.

Михаил Горбачев после сорока лет службы в правительстве отправил на покой председателя Госплана СССР в начале 1986 года.

* * *

Сбылась моя давняя мечта: президент Академии наук СССР увидел то, что вызывало столько лет бурные дискуссии. Посещение длилось четыре часа: физикам было о чем доложить. Полученный ими уникальный комплекс мог вести измерения физических полей по семи каналам, улавливающим электрические и магнитные поля, четыре вида излучений — инфракрасное (тепловое), радиотепловое, оптическое, акустическое, а также «химические поля», связанные с жизнедеятельностью биологического объекта.

При помощи такой замечательной аппаратуры физики доказали «существование неспецифического сенсорного канала (помимо зрения и слуха), по которому возможно получение физиологической информации и дистанционное воздействие». Слова взяты из отчета, подготовленного к приезду гостей.

Из него явствовало, что Джуна нагревала на несколько градусов поверхность тела испытуемых, причем через одежду, а также нагревала на несколько десятых долей градуса внутренние органы.

«Мы провели эксперимент, — писали физики, — который нас окончательно убедил, что зрение и слух здесь не при чем. Между рукой Джуны и пациентом ставили стеклянную стенку, непрозрачную для инфракрасного излучения. И вот при таком условии опыта разогрева кожи пациента не происходило, хотя воздействующий и пациент видели друг друга и слышали друг друга, то есть психофизиологический контакт не нарушался».

Процитирую далее слова отчета, поскольку не уверен, что сумею популярно пересказать, не искажая смысл, по-

С папой Римским Иоанном-Павлом II во дворе Ватикана, которому Джуна подарила свою картину

лученный результат: «Во время воздействия руки «экстрасенса» приращение инфракрасного теплового потока на кожу пациента превышает порог ее чувствительности. Этот инфракрасный поток модулируется движениями руки. Таким образом происходит своеобразный бесконтактный массаж тела пациента инфракрасными излучениями движущейся разогретой руки. Причем оказалось, что кожа пациента разогревается неравномерно, больше греются области с нарушенной терморегуляцией...».

Это значит, Джуна воздействовала руками, а не внушением, гипнозом, как считал президент. Был установлен бесконтактный массаж, феномен «Д».

После осмотра, сев за стол, чтобы сделать запись в журнале, президент пошутил: «Хорошая физика обходится без чудес», имея в виду, что все объяснилось без «биополей»...

— Я надеюсь, — писал президент, — что ваши работы будут полезны и для практической медицины, и для физиологии как науки. Кроме того, думаю, что это развеет ореол «чудес», которые жаждут часто видеть некоторые увлекающиеся товарищи.

При этом посмотрел в мою сторону, как на одного из «увлекающихся товарищей». По незаметному знаку академика Котельникова профессор Гуляев протянул президенту пять страниц бумаги с моим машинописным текстом, где вкратце сообщалось об исследованиях Джуны и Кулагиной. Сердце мое замерло, скажу честно, я волновался и ждал молча приговор.

Прочитал президент пять страниц и отложил молча их в сторону. Значит, с публикацией мне предстояло подождать. Но не согласился президент изыскать в штатах Академии несколько должностей для таких людей, как Джуна. Я все не терял надежды, что ее опять зачислят в лабораторию.

— Почему Академия должна заниматься ими? — в сердцах ответил президент.

Но вот что сделал Анатолий Петрович после осмотра лаборатории. Сочинил и собственноручно написал текст любопытного документа под названием «Приказ-распоряжение», после чего ознакомил с ним президента Академии медицинских наук и министра здравоохранения СССР. Последний поставил свою подпись на этом документе рядом с подписью президента.

Документ обязывал сотрудников АН СССР продолжить начатые исследования, а ученых медицинской академии — начать со своей стороны изучение этого явления, имея в виду в конечном итоге провести клинические испытания возможного терапевтического эффекта. Ведь если в организме под влиянием бесконтактного массажа рук регистрируются такие сильные возмущения, то не исключено ведь и лечение...

Этот «приказ-распоряжение» чиновники Минздрава потеряли. Нет приказа. Зря старался Анатолий Петрович, зря водил пером по бумаге, оставив еще один автограф архиву академии. Не удалось переубедить коллегу, президента Академии медицинских наук, не удалось сломать упорство, с которым тот отстаивал свою ложную позицию, как, впрочем, не удалось убедить его избрать в эту Академию доктора Гавриила Илизарова. Он прошел в Академию наук СССР...

* * *

Джуна зачастила в подмосковный город Щелково, где в одном из профилакториев нашлись медики-энтузиасты, решившие учиться у нее. И довольно быстро переняли ее манипуляции; оказалось, что способность к лечению руками есть у многих, как и утверждала Джуна. Помните ее слова: «Мать сможет лечить детей, жена — мужа, профилактическая методика должна войти в каждый дом!..». В профилактории я увидел медсестер, руками нормализовавших давление рабочих хлопчатобумажного комбината.

Как много может сделать один человек, если он талантлив!

Вот почему Белла Ахмадулина сказала:

— Мне, кажется, Джуна есть привет нам от чего-то, что мы не вполне можем понять, но тем не менее чему мы вполне можем довериться. Ну а, собственно, почему мы, человеки, должны так не доверять собственным способностям? У нас есть много чудес, у нас есть Пушкин, у нас есть Цветаева, и Джуна — еще одно доказательство того, что сфера человеческого мозга, вообще человеческих дарований и всего нашего устройства, все-таки находится в сфере какой-то дымки и тайны. И может быть, не нужно каким-либо грубым способом пробовать проникнуть в происхождение этого тумана. Просто будем радоваться тому, что ее талант есть, потому что всегда, пока, в крайнем случае, я жива на белом свете, я считаю лучшей своей удачей разглядеть в другом человеке дар. Это всегда: талант другого человека есть дар свыше этому человеку, и через этого человека — нам. И вот мне кажется, его надо принять в доверчивые и признательные ладони и любить Джуну. Я вот всегда радуюсь, когда на нее смотрю...

Сказать это было можно в 1985 году, а опубликовать нельзя...

Когда нельзя было писать о лечении Джуны, Андрей Вознесенский сочинил стихотворение, где помянул, что чувствовал, когда она «водила ладонями над его головой»:

ДИАГНОЗ

Год уже, как столкнулся я с ужасом рва.
Год уже, как разламывается голова.
Врач сказал, что я нерв застудил головной,
Хожу в шапочке шерстяной.
Джуна водит ладонями над головой,
Говорит: «Будто стужей несет ледяной!».

* * *

После изгнания из Института радиотехники и электроники Джуну пригласили в другие лаборатории. Исследовать ее ученые могли. Но писать о ней не имели права. Ей оставалось в стихах вопрошать:

> Как мне об этом людям рассказать,
> Как мне поведать им о сокровенном...

Сокровенным были ее методики манипуляций, одна, как она называет ее, — профилактическая, доступная каждому, другая — более сложная, доступная врачам и медсестрам. И эту методику начала оформлять в качестве авторской заявки на изобретение. Значит, начался еще один цикл экспериментов.

Одним из первых посмел, несмотря на строжайший запрет руководства и административные меры, надеть белый халат на Джуну профессор Арсений Меделяновский. В его лаборатории на моих глазах она облучала сердце лягушки и резко изменила ритм ее сердцебиения. Разборки с начальством по поводу эксперимента ускорили кончину тяжелобольного профессора...

Читинский профессор Борис Кузник предложил Джуне воздействовать, в частности, на больных гемофилией. У них после этого ускорялось свертывание крови.

Сотрудники новосибирского академика медицины В. Казначеева попросили подолгу облучать рукой клеточные культуры — почки человека. В результате этого было установлено бесконтактное взаимодействие человека и клеточной культуры, начавшей бурный рост, количество ее увеличилось почти на треть...

Теперь слово докторам медицинских наук. Вот что мне сказал профессор Владимир Рыков:

— Вначале хочу рассказать об эпизоде, который произошел на моих глазах и оказал на меня сильнейшее впечатление. Москвичи помнят, что несколько лет назад Москва пережила морозы, градусов за тридцать. Тогда и обморозил руки один молодой, сильный и красивый мужчина, ваш коллега — журналист телеграфного агентства, кажется. Он явился к Джуне буквально с черными кистями рук и черными пальцами. Ему предстояла операция в центре хирургии кисти и незавидное будущее инвалида первой группы. Так называемая демаркационная линия, по которой должен был пройти нож, никаких надежд на спасение кистей рук не оставляла.

На моих глазах Джуна начала каждый день подолгу работать с этим страдальцем. И я увидел невероятное. Начал отступать отек. Черная ткань после каждого сеанса меняла цвет, принимала нормальную, здоровую окраску. Хирурги намеревались первоначально отсечь обе кисти со всеми пальцами и, чтобы человек как-то мог брать ложку, вместо пальцев сформировать нечто вроде клешни. Делать это им, к счастью, не пришлось: на каждой из рук ампутировали только фаланги на двух пальцах.

В нашей лаборатории мы с коллегами проводили лечение по методу Джуны. Во-первых, больных, страдающих сердечными болезнями, закупоркой коронарных сосудов. Рукой своей Джуна рассасывала бляшки, закупоривающие сосуды! На моей памяти таких больных было у нее только у нас двенадцать. Далее она лечила страдавших язвой желудка и двенадцатиперстной кишки. Тридцать таких больных прошли у нее курс. Мы тщательно контролировали лечение. Вводили гастроскоп, чтобы убедиться: язвы нет! И убеждались, к своему удивлению, в этом. Наконец, на мой взгляд, наибольший успех наблюдался при исцелении некоторых женских гинекологических болезней, маточного кровотечения. Таких женщин прошло перед ней десятки. Вот мой ответ на ваш вопрос...

Андрей Вознесенский воспел Джуну

Что нового узнал профессор Арон Белкин:

— Мы предложили рукой воздействовать на мужские сперматозоиды. Для тех, кто не знает, расскажу, что это единственные клетки, которые не погибают даже в условиях открытого космоса. Не случайно появилась теория, что жизнь на Землю занесена откуда-то из глубин Вселенной. Так вот, сперматозоиды не только не погибают, но даже сохраняют свои поразительные свойства, способность оплодотворять женские клетки даже после того, как побывали в пространстве, где температура была близкой к абсолютному нулю. Поэтому в США, например, некоторые богатые люди, умирая, оставляют на хранение в особых холодильниках свою сперму и завещают потомкам оплодотворить в будущем клетки тех своих родственников или друзей, от которых они хотели бы иметь потомство.

Мы взяли мужские сперматозоиды и охладили их, в результате чего замедлилось их бесконечное движение. А затем предложили Джуне подействовать дистанционно на эти подмороженные клетки. После чего мы увидели, как сперматозоиды резко усилили свое движение, в котором они всегда находятся. Вот такой опыт с соблюдением всех научных требований к его чистоте мы провели в Москве, сняли документальный фильм, где все, о чем я рассказал, видно. Я его показывал в Австралии. Этот фильм есть и у Джуны. Странно, что до сих пор его никто в стране не видел.

Доктор медицинских наук Олег Алексеев:

— На мой взгляд, наиболее эффективно лечатся недуги, связанные с клеточными реакциями. Поэтому мы предложили Джуне воздействовать на эритроциты, красные кровяные тела, разных форм. Мы выбрали несколько таких форм, отделив их от других. Легко об этом говорить, но для таких манипуляций разрабатывается сложнейшая методика, опыты готовятся долго, требуют значительных усилий. И оказалось, что в результате массажа Джуны эритроциты меняют форму! Описать словами эти изменения трудно. Мы сделали рисунки таких метаморфоз. Эксперимент длился месяцы. Джуна приезжала к нам в лабораторию десятки раз. Обработка потребовала годы. И последнее, может быть, самое главное.

* * *

В результате наблюдений и измерений, о которых так подробно рассказано в моей книге, академик Юрий Гуляев и профессор Эдуард Годик сделали неожиданное для себя открытие: рука излучает инфракрасные волны в диапазоне 8-14 мкм, волны сверхвысокой частоты в диапазоне 8-30 см, переменное поле с частотой до 10 Гц. Вот это открытие и есть феномен «Д».

На основе открытий, как известно, совершаются прорывы в технике, изобретения. И в данном случае так и произошло. Джуна подала заявку на изобретение, и не где-нибудь, а в Соединенных Штатах Америки, во время одной из своих поездок. Там она демонстрировала заокеанским физикам излучения своей руки. В этой заявке предлагалось устройство, состоящее из трех источников, генерирующих три названных поля. Такая заявка прошла, и Джуна получила патент №5 095 901 на изобретенный стимулятор.

Все остальное было делом техники. Заявка реализована в Москве, в научно-техническом центре «Орион» за несколько месяцев! И когда сеанс с участием Джуны закончился, конструктор Борунов подробно рассказал мне и о новом стимуляторе, и о тех перспективах, которые открывают новшество в медицине. Анатолий Васильевич сказал:

— На мой взгляд, выдающаяся заслуга Джуны в том, что она впервые в своей американской заявке предложила подействовать на пациентов, на функции всех органов не каким-то одним излучением, а сразу ТРЕМЯ: инфракрасным, переменным электрическим полем и СВЧ или, что то же самое, КВЧ, то есть крайне высокими частотами. На это я хотел бы обратить особое внимание. Мы создали на основе этой заявки такой физиотерапевтический прибор, где каждый из трех излучателей одновременно генерирует ТРИ волны в пределах указанных диапазонов. То есть один стимулятор в момент сеанса воздействует на больного сразу девятью полями! В результате этого и образуется целебный диапазон Д, имитирующий руки Джуны.

Физики, работавшие с Евгенией Ювашевной в стенах Института радиотехники и электроники, особое внимание уделили инфракрасному излучению, теплу рук, они полагают, что именно тепло объясняет все наблюдаемые эффекты. Но, на наш взгляд, особое значение имеют СВЧ-КВЧ-волны, обладающие большим целебным эффектом. России принадлежат приоритетные научные разработки в области КВЧ-терапии. В сорока клиниках страны десять лет велись испытания физиотерапевтических приборов СВЧ-КВЧ, и они доказали высокую результативность в лечении многих болезней, нашли применение в кардиологии, неврологии, урологии, хирургии, гастроэнтерологии.

СВЧ-КВЧ генерирует и живой прибор, рука Джуны. Вот почему, когда мы начали воплощать ее идею в металле, то установили контакт с пионерами КВЧ-терапии, пригласили в качестве консультантов профессора Олега Бецкого и сотрудников из возглавляемой им медико-технической ассоциации «Крайне высокие частоты». Кандидат наук Ю. Яременко по нашему заданию исполнил научно-исследовательскую работу и представил нам отчет под шифром «Джуна», где, в частности, определены оптимальные параметры стимулятора и режимы его воздействия.

Мы понимали, приступая к работе с Джуной, что получили редчайшую возможность соприкоснуться с уникальным даром природы — супербриллиантом. Ему требовалась достойная оправа. Поэтому пригласили к сотрудничеству самых известных и авторитетных специалистов в области физики и биологии. Доктор биологических наук Н. Лебедева, кандидат наук О. Сулимова и научный сотрудник Т. Котровская разработали для нас методику испытаний медицинского стимулятора «Джуна-1». Они же представили подробный отчет по волнующей нас теме. И это еще не все: нас консультировала уникальный специалист, сотрудник одного из научных центров, кандидат биологических наук А. Пивоварова, представившая нам обстоятельный отчет, озаглавленный ею одним словом «Джуна». Мы получили данные о воздействии КВЧ на иммунитет, знаем, как ведут себя биологические объекты под воздействием волн разной длины.

Начатое нами дело основано на монолитном фундаменте науки, на данных, добытых многолетним трудом ученых. Ведь только на несокрушимом основании можно строить дом, на дверях которого стоит имя такого феномена как Джуна.

Так научно-технический центр «Орион», хорошо известный специалистам, выполнил задачу в кратчайший срок. Стимулятор и работающий с ним в одной системе компьютер находятся теперь в стенах академии «Джуны» на Арбате, где проходит заключительный этап, быть может, самый ответственный — клинические испытания.

* * *

...Незабываемый Ираклий Андронников, филолог, писатель и артист в одном лице, сказал: «Не могу передать, какую благодарность к испытываю к Джуне и ее волшебным рукам». По этому случаю его друг Андрей Вознесенский написал:

Опять, Ираклий Лаурсабович,
Пошаливает биоритм?
Ваш поздний свет в окошке за полночь
О Лермонтове говорит.

Поручик юный, чтоб не мучились
Послал вам деву горных мест.
Ведь отсвет Лермонтовской Музы
На самом деле в Джуне есть.
Над головой ее витает
Угрюмой вечности огонь.
На снимке тучка золотая
Венчает узкую ладонь.
Ладони стройной ассирийки
Снимают человечью боль —
Как с арфы дланями арфистка
Снимает «до-ре-ми-фа-соль».
Не только это биополе,
А состраданье в сотни вольт
Снимает головные боли...
Но кто твою измерит боль?
Как мерил в омах силу некую
Науки удивленный ум —
Так единицею энергии
Отныне станет «один Джун».

Новой единицы измерений пока нет. Но есть установленный физиками феномен «Д», есть «Джуна-эффект». Разве этого мало?

Удивительные истории, начинающиеся бурно и драматично, завершаются порой спокойно и бесконфликтно. Во всяком случае, описанная здесь траектория полета феномена «Д» имеет такой финиш.

Заявив о себе сенсационными публикациями, дискуссиями, принятием директивных решений, она завершаласьороднично — объявлением в рекламном приложении «Вечерней Москвы» 2 марта 1988 года. Из него стало известно, что кооператив «Нянюшка»: «Объявляет прием на курсы бесконтактного массаж по методу Джуны. Преподаватель Джуна Давиташвили».

* * *

Спустя три года после начала «перестройки» я сделал то, что долго не мог. На страницах «Советской России» появилась статья «Исцеляющие руки», где впервые со ссылкой на АН СССР сообщалось: феномен Джуны — реальность, не результат внушения, бесконтактный массаж воспроизводим врачами и медсестрами...

Плотина была прорвана. Одна за другой газеты, журналы стали заполняться статьями о работе, проведенной в ИРЭ АН СССР. Массовые журналы устами врачей как нечто само собой разумеющееся описывали приемы массажа Джуны. Таким образом средства массовой информации как бы возвращают долги, вознаграждая за многолетнее молчание, отслеживают каждый ее шаг на бумаге, в эфире, на телеэкране.

Ее приглашали в редакции газет и журналов, библиотеки, дворцы культуры, залы министерств и государственных комитетов. Открыли границы, она стала «выездной» без рекомендации парткома, профкома и администрации.

Не проходило месяца, чтобы не узнавали об очередном зарубежном вояже. Из разных стран привозила почетные титулы, звания, высшие знаки признания — дипломы, ордена, мантии, жезлы, медали, ленты... В Ватикане подарила свою картину Папе Римскому. В Афинах наградили Большой Золотой медалью дипломатической академии «За гуманизм». В Вене на международной комиссии по эфирным маслам состоялась презентация духов «Джуна». Друзьями стали самые известные артисты эстрады. В доме два года жил Андрей Разин, обязанный ей «Ласковым маем». Игорь Тальков, которого я часто видел в квартире на Арбате, посвятил ей замечательную песню «Скажи, откуда ты взялась и от какой отбилась стаи...». Он же, когда разваливался СССР, написал:

МЕТАМОРФОЗА

Обрядился в демократа,
Брежневский «пират».
Комсомольская бригада
Назвалась программа «Взгляд»,
Минздрав метнулся к Джуне,
Атеисты хвалят Глоб,
И бомбит жлобов с трибуны
Самый главный в мире жлоб.

Появилась музыкальная студия и мастерская. Художник Илья Клейнер научил рисовать, и с тех пор картины стали еще одной привязанностью, как стихи и песни. Она выступила на сцене театра эстрады. Джуна занялась благотворительностью, посылала заключенным лекарства и продукты, подружилась с воинами-афганцами, лечила их и помогала деньгами. В. знак признательности военные по старой российской традиции вручили ей удостоверение на право ношения формы почетного генерал-полковника медицинской службы и подарили мундир с золотыми погонами и тремя звездами, который пришелся ей к лицу...

Помощник Ельцина Лев Суханов в книге мемуаров рассказал, что перед выборами Председателя Верховного Совета РСФСР в мае 1990 года, когда решалась судьба Бориса Николаевича , Джуна предсказала его победу с перевесом в 4 голоса: он получил на 6 голосов больше и возглавил Россию. По словам Алексея Митрофанова, депутата Государственной думы, он видел будущего президента России в ее квартире на Арбате. Там бывал и руководитель его администрации Сергей Филатов, многие депутаты Государственной Думы...

Ельцин вручил в Кремле Джуне орден Дружбы народов за заслуги по оказанию помощи в лечении и психологической реабилитации участников войны и активную общественную деятельность.

Вся эта бурная разностороння деятельность проходила без моего участия. И я не пишу о ней в книге. Узнать многое о Джуне можно в интернете. Там — сотни интервью, очерки, ее рассказы и стихи. Там видео телепередач последних лет, где она кажется мне такой, какой я ее увидел тридцать лет назад.

ПОСЛЕСЛОВИЕ

По сей день мне приходится читать и слушать о Джуне и о себе академиков, которые отметают с порога не только то, о чем пишут журналисты, но и исследования коллег. Так, бывший академик Эдуард Кругляков, председатель комиссии по борьбе с лженаукой и фальсификацией научных исследований, на заданный вопрос: «Что-нибудь изменилось в сторону здравомыслия в нашем обществе? Или маразм, как говорится, крепчает?», — отвечает:

— По-видимому, особенно легковерными становятся люди, когда дело касается их здоровья. Еще лет двадцать пять назад в редакции «Комсомольской правды» мне доводилось присутствовать на встрече с Джуной, которую, помню, привел один журналист, склонный к такого рода сенсациям. Джуна была совершенно темной личностью, хотя уже ходили слухи, что она лечит самого Байбакова, руководителя Госплана СССР...

Хочу обратить внимание на то, что Джуна — произведение журналистов. Сказки о том, что от взмаха ее руки расцветает роза, шли в печать, а вот о ее провалах при обследовании учеными я что-то не читал.

Став во главе этой комиссии в 2013 году, академик Евгений Александров на вопрос: «Рассказывают, что Кулагина двигала спички взглядом. Как она это делала?» — ответил:

— Ее муж был инженером и снабжал компактными самарий-кобальтовыми магнитами. Одни Кулагина загоняла в спички, другие под ногти. Или в ботинки. Или закрепляла на поясе.

Тому, кто прочитал книгу, наверное, покажется, что Кулагины — мошенники, а «Феномен Джуна» — сказка, а не быль, достойная уважения.

Только незадолго до отъезда в США профессор Эдуард Годик сказал мне слова, которые я хотел от него услышать, когда с Джуной спешил в лабораторию в Старосадском переулке:

— Физика — наука дорогая, не каждому государству доступная. Мы десятки лет работали по заказам правительства, они всегда были военные, оплачивались из бюджета обороны. Только раз на моей памяти мы получили заказ вполне цивильный, когда вот встал вопрос об изучении феномена Джуны, ныне всемирно известной. Это было связано с тем, что к ней проявлен был интерес на самом высшем уровне. И мы выполнили поставленную перед нами задачу, впервые в мире научно исследовали феномен, известный человечеству тысячи лет. Так вот в Москве появилась лаборатория в Старосадском переулке, переданная нам властями города. (Такое стало возможным только благодаря самоотверженным усилиям Джуны, она добилась того, что известный ей секретарь горкома партии, поверивший в ее дар, распорядился предоставить для новой лаборатории здание.)

Мы бы хотели снова начать новые, на более высоком уровне исследования с Джуной в обстановке, когда нам больше не угрожают невежественные публицисты и коллеги, когда нет больше запретов для самых смелых экспериментов с человеком, его полями. С Джуной работать очень интересно и плодотворно, она неутомима и предана науке, делу.

Но больше работать с ней замечательному физику не пришлось.

Переиздавая книгу, я связался по электронной почте с Эдуардом Эммануиловичем и хочу еще раз привести его слова о давней работе, оборванной на взлете: «За баловством именитых академиков я увидел уникальную возможность измерить и представить на экране (визуализировать) динамическую картину физических полей и излучений организма, отражающих его функционирование. Все необходимые для этого методы под названием пассивное дистанционное зондирование были разработаны ранее в Институте радиотехники и электроники применительно к исследованию Земли со спутников и самолетов.

Мы последовательно применили их к живому объекту и фактически увидели и взяли в руки (для медицины) уникальную картину «Человека в собственном свете». Кроме того, мы измерили чувствительность человека, его

физиологических параметров, ко всем компонентам таких физических полей и излучений, чтобы оценить возможность бесконтактной диагностики состояния человека как это делала (по слухам, научно установить это могли только медики) Джуна и другие экстрасенсы.

Полученные нами результаты были широко доложены на самых солидных научных семинарах, конференциях и опубликованы. Получено 9 российских, 10 американских и 9 европейских патентов. Так что ничего не пропало. Например, наш доклад был с интересом заслушан на специальной совместной сессии Отделения общей физики и Отделения ядерной физики АН СССР в Институте физических проблем под руководством академика Виталия Гинзбурга, на Президиуме Академии наук, на теоретическом семинаре Виталия Гинзбурга в ФИАНЕ (2 раза), на семинаре академика Александра Прохорова в институт общей физики, на теоретическом семинаре академика Аркадия Мигдала в МИФИ, в Домах ученых Москвы, Ленинграда, Новосибирска и многих других. Мы начали работать со всеми лучшими désинститутами... Но... все порушила дурацкая перестройка...

Переиздавая книгу в 2015-м, хочу сказать, что при всем уважении к самоотверженной работе академика Юрия Гуляева и профессора Эдуарда Годика с командой молодых физиков, им не удалось объяснить то, что посчастливилось увидеть в лаборатории №137. Физики сами это признают. Приведу тому два доказательства. Первое по времени принадлежит Александру Тараторину, тому, кто демонстрировал высоким гостям изображения на экране термовизора. В США он не забывает, «чего я объяснить не могу».

Цитирую:

«Видел я это всего пару раз. Ставили мы эксперименты с больным, у которого кровообращения в ноге совсем не осталось, сосуды перекрыты, нога накануне ампутации. Ничего не помогало, никакие инъекции. Призвали Юрия Сергеевича Харитонова...

Харитонов в Москве был известен, сам был физиком, кажется, физтехом, докторскую диссертацию заканчивал, а в свободное время лечил знакомых. Короче, провел он руками вдоль ноги, и она вспыхнула на экране тепловизора, кровь пошла, как будто сосуды мгновенно открылись. Все выпали в осадок. Я к этому времени уже много таких экспериментов видел, если реакция и была, то слабенькая и медленная, с постоянного времени минут 15-20, а здесь за минуту нога в норму пришла».

Второй необъяснимый эксперимент тоже с Харитоновым связан был. Похулиганить он решил, вызвать реакцию из другой комнаты, ничего пациенту не говоря. Эксперимент был «слепой», никто из нас не знал, что и когда он будет делать, и больной тем более. Начало реакции секунда в секунду совпало с тем, что Харитонов тогда делал».

Нечто подобное не дает покоя Эдуарду Годику. В лаборатории по официальной просьбе китайского посольства приняли двух китайцев.

Женщина, которую звали «просто одаренная», пассами рук делала точно то, что Джуна, словно они вместе учились в одной школе.

Другой китаец, мастер цигун, древнего китайского искусства саморегуляции и дистанционного исцеления, находился в 2-3 метрах от больного, доставленного из Первого медицинского института. Он не стоял, не делал никаких пассов, как «просто одаренная», а «просто сидел на стуле и, в отличие от наших экстрасенсов, не проявлял никакой активности. Результат поразил меня. За время эксперимента кровообращение в пораженной стопе полностью восстановилось... В результате один из пациентов был выписан из клиники со значительным улучшением, а ведь положен был туда на операцию».

Как я убежден, не остался разгаданным и телекинез. Академик Юрий Васильевич Гуляев по сей день утверждает, что Кулагину в физиологическом смысле можно назвать феноменом. Не более того. «Из своих ладоней она выбрасывала облачко едкого и заряженного отрицательно пота. Он попадал на предмет и заряжал его отрицательно. Сама Кулагина имела положительный заряд и поэтому притягивала. Этим же едким потом она жгла руку».

Не сомневаюсь, ее руки выпрыскивали некий «пот» в виде тончайших еле видимых нитей, открытый физиками. Им она попала в глаз доктору технических наук капитану первого ранга Геннадию Сергееву, первому инженеру, изучавшему телекинез в Ленинграде, и он на этот глаз ослеп. Возможно «потом» объясняется движение легких предметов. ... Но сколько «пота» понадобилось Нинель Сергеевне, чтобы в кабинете Менделеева руками и без них вращением головы раскачивать и останавливать под толстым стеклом настенных старинных часов в футляре тяжелый маятник?

До конца узнать, что собой представляют феномены «Д» и» «К», как передаются мысли на расстояние XX век не смог. Это задача XXI века, физики ее решат непременно, важно только не считать феномены «лженаукой», фокусами и «произведениями журналистов».

СОДЕРЖАНИЕ

Литературно-художественное издание

Лев Ефимович Колодный

ДЖУНА. ТАЙНА ВЕЛИКОЙ ЦЕЛИТЕЛЬНИЦЫ

Редактор Е.О. Мигунова
Художник Б.Б. Протопопов

ООО «ТД Алгоритм»

Оптовая торговля:
ТД «Алгоритм» +7 (495) 617-0825, 617-0952
Сайт: http://www.algoritm-kniga.ru
Электронная почта: algoritm-kniga@mail.ru

Сдано в набор 12.05.15. Подписано в печать 08.06.15.
Формат 84x108 1/32.
Печать офсетная.
Усл. печ. л. 8. Тираж 1500 экз. Заказ № 531.

Отпечатано в соответствии с качеством
предоставленного оригинал-макета
в ОАО «ИПП «Уральский рабочий»
620990, г. Екатеринбург, ул. Тургенева, 13
http://www.uralprint.ru, e-mail: sales@uralprint.ru